LA CUISINE DES CHÂTEAUX

DE

Normandie

Gilles du Pontavice

Bleuzen du Pontavice

Collection dirigée par
BLEUZEN DU PONTAVICE

Photographies
CLAUDE HERLÉDAN

EDITIONS OUEST-FRANCE
13, rue du Breil, Rennes

16 46 : « Ce pays qu'on nomme Normandie est la plus belle et la meilleure province de France […]. Son ciel est doux et tempéré, son sol heureux et fécond de toutes choses nécessaires à la subsistance et aux délices de ses habitants. »

C'est ainsi qu'Eustache de Denneville qualifiait, dans son *Inventaire de l'histoire de Normandie,* la plus riche province du royaume, qui fournissait le quart de son revenu. Une terre fertile, une terre aimée, et pourtant aventureuse et disputée.

Peuplée au début de notre ère de Calètes (et voici le pays de Caux), de Véliocasses (et voici le Vexin normand), de Lexovii (et voici Lisieux), de Baïocasses (et voici le Bessin), d'Abrincates (et voici Avranches), d'Ebuvorices (et voici Evreux), de Sagii (et voici Sées, petit évêché), la Normandie s'est unifiée, après les invasions normandes, par le traité de Saint-Clair-sur-Epte. Elle devenait alors une marche confiée à Rollon, des envahisseurs, et premier duc de Normandie. Les compagnons de Rollon, d'Harcourt en tête, ont formé la base de la vieille noblesse normande qui s'illustra souvent au cours des croisades. Puis, par une expédition audacieuse, le plus célèbre de ses successeurs, Guillaume le Conquérant, prit en 1066 le trône d'Angleterre. Cet exploit est relaté dans la célèbre Tapisserie de Bayeux, et c'est aussi la première marque de noblesse de plusieurs familles que nous retrouverons dans cet ouvrage. Autant dire qu'une Normandie maîtresse de l'Angleterre n'avait plus guère de souci de vassalité envers les rois de France, déjà bien en peine de contrôler leur royaume ! Des querelles de succession anglaises permirent à la Couronne de reprendre pied en Normandie. Philippe Auguste put réunir la Normandie à la France d'alors, tandis que Saint

Savoir accommoder les restes, c'est la base de la cuisine rurale. Ici un petit livre de la cuisine de Sassy.

Louis, cinquante ans plus tard, lui reconnaissait son droit, dit Grand Coutumier. Par la suite, les Anglais ne lâchèrent pas facilement la Normandie. C'est à Rouen, à des Anglais, que fut abandonnée Jeanne d'Arc en 1431. Mais c'est *son* roi, Charles VII, qui fit définitivement le duché de Normandie.

Depuis, avec les aléas de l'histoire, la Normandie est restée province française, et plutôt plus proche de Paris qu'aucune autre, et plutôt plus prospère qu'aucune autre. L'appel de la capitale et l'appel du large la drainent pareillement. En témoignent aujourd'hui les routes que nous avons empruntées, aussi droites dans le sens rayonnant qu'elles sont tortueuses et vicinales dans le sens transversal…

Bien ancrée dans le giron français, la Normandie n'eut pas de mal à ressembler au rôle qu'on lui prête : riche paysanne et grasse laitière, non point jardin de la France mais plutôt sa prairie et son étable. La Normandie est diverse, mais riche : ses herbages sont fertiles, ses côtes ménagent nombre de bons ports, et, surtout, elle abrite l'embouchure de la Seine, fleuve longtemps verrouillé par des forteresses, fleuve garant de l'intégrité du royaume. Son administration exemplaire favorisa l'établissement de belles villes : Rouen, Caen, ou Valognes que sa densité aristocratique faisait surnommer la « Versailles normande ». Mais toujours resta cet esprit que les écrivains normands n'ont pas oublié.

L'esprit normand prête à rire : on attribue à ses paysans un bon sens à raidir les falaises du Cauchois et les carottes de Créances, à maintenir l'intégrité du pays d'Auge, ou du pays d'Ouche, ou du bocage profond qu'ont isolé les géographes. Bien entendu, nous les défendons ici contre la caricature.

Car la Normandie est une terre rurale, malgré sa tradition industrielle ancienne. Ses communes sont minuscules. Et notre livre s'attache à ces traditions rurales, à ces vieilles recettes de bons produits.

On aime et on reconnaît la Normandie au printemps, quand les pommiers d'Auge lui font un tapis de fleurs blanches. On la fréquente en été, quand Deauville et Cabourg se font voir aux citadins. On courbe le dos en hiver, quand le vent souffle en pays de Caux et quand l'Eure est froide... Nous l'avons choisie en automne, quand le pays se retrouve et se compte, autour de la chasse et des récoltes, dans sa simple vérité. Mais chaque jour n'y voit-il pas défiler les quatre saisons ?

Notre Normandie sera donc ici celle de ses habitants de toujours, ou de maintenant, ou d'à venir. Certes, ce fut la région la plus prospère de France. Mais aussi parmi les plus meurtries.

Nous ne sommes pas allés à Gisors, Château-sur-Epte, Château-Gaillard le magnifique, au château de Robert le Diable, et tant d'autres ruines somptueuses des batailles passées. Nous ne sommes pas non plus allés à Thury-Harcourt, fief de la très vieille famille d'Harcourt, comme beaucoup brûlé en 1944. Ses blessures sont une autre image de la Normandie, qui depuis les Vikings est la route de Paris. Mais il en reste beaucoup, des manoirs ruraux entourés de leur terre, ou de grands châteaux de cour. Le style Louis XIII est une illustration répandue de l'évolution de forteresses défensives vers des demeures plus aimables et ouvertes. Il a fallu pour ce livre en choisir quelques-uns. Le choix est arbitraire, bien sûr, mais il couvre à peu près l'ensemble du territoire, si vaste et dense qu'il a fallu deux régions pour l'administrer.

Nous y avons trouvé sans peine une cuisine normande, rurale, proche de la ferme : la pasteurisation n'a pas encore vaincu la vieille Normandie riche de ses produits laitiers, de sa basse-cour et de ses vergers.

Pour ce nouvel ouvrage de la collection « La Cuisine des châteaux », nous vous avons rapporté des images et des recettes de ses différents terroirs : le Cotentin debout face au vent, les polders salés du Mont-Saint-Michel, les bocages et les forêts, le vert pays d'Auge. C'est peu ou prou la Basse-Normandie. Puis viennent le pays d'Ouche plus secret, les détours de la Seine, enfin le damier du pays de Caux qui se brise sur la mer. A chaque étape de ce long banquet, nous avons demandé à nos hôtes leurs recettes de famille et leurs souvenirs. Ils dressent le tableau composite d'une région qui, certes, aime la crème, le beurre et la volaille, mais s'ouvre à bien d'autres ressources. Merci donc à tous ceux qui nous ont accueillis et enrichis.

Suivez-nous donc dans ce long voyage qui, pour respecter la tradition, sera ponctué d'un « trou normand » auquel nous avons convié quelques grands écrivains de la Normandie d'hier.

Au château de Filières. Beaux produits sur plateau d'argent, voici la cuisine des châteaux.

CROSVILLE

Guetteur du Cotentin

*Un château en hauteur, surmonté
d'une échauguette, protégé par son
double portail et sa tour de garde,
face aux marais du Cotentin.*

*L*es Normands ont longtemps surveillé la mer, d'où sont venus tant de conquérants — quand ce n'était pas les Normands eux-mêmes qui s'élançaient pour prendre l'Angleterre. Du haut du donjon de Crosville, et plus encore de l'échauguette qui le surmonte, le regard s'étend loin sur les marais du Cotentin qui donnent à cette terre, qu'on appelle le Clos du Cotentin, un air de presqu'île. Presqu'île, car le nord de la Manche, cerné par la mer de trois côtés, est aussi bordé au sud par des marais autrefois terres de fièvres, et depuis heureusement conquis, en partie, par les hommes. On trouve ici la faune de la mer et celle des marais mêlées, comme ce courlis gracieux, et même la cigogne blanche, venue en grande migratrice des régions de l'est.

Le château que racheta la famille Lefol en 1985 était en fort mauvais état. Mais ils en étaient les fermiers depuis longtemps. Michèle Lefol, qui avait grandi en courant dans les étages délabrés, sut persuader ses parents de rénover cet imposant bâtiment que le marquis de La Chapelle-Crosville ne pouvait plus entretenir. Depuis longtemps déjà Crosville avait rompu avec son passé seigneurial.

D'un vieux château restent des parties du XVe siècle : un large donjon, la porte charretière et la porte piétonne accolées. C'était alors le

Retour du jardin de madame Lefol. Crosville ne renie pas son statut de manoir agricole.

fief de la famille Boudet de Crosville, qui portait « d'or à la croix engrêlée de gueules », dont les premiers membres participèrent à la conquête de l'Angleterre en 1066. Un suivant, Raoul II, fut croisé à Jérusalem en 1092. Et Gilles de Crosville commandait la noblesse du Cotentin sous Henri IV. Le château actuel date du XVIIᵉ siècle. Bien dans le style sévère du Louis XIII Cotentin, c'est le siège d'une seigneurie rurale, dont la vie s'ordonne dans la vaste cour fermée par les bâtiments d'exploitation. La façade est cependant très soignée, allégée par la succession de frontons triangulaires, et encore tirée vers le haut par le pavillon central en saillie. Un escalier aux grandes marches de granit (d'une matière et d'une taille inusitées ici, qui en souligne l'importance) mène à l'étage noble composé de pièces monumentales.

Après la disparition du dernier des Crosville, en 1777, le château ne fut plus qu'une ferme, et plusieurs fois revendu. Il avait gardé ses cheminées, ses décors polychromes illustrant les *Métamorphoses* d'Ovide, et fit le gros dos jusqu'à ce qu'il puisse retrouver, très récemment, son allure des grands siècles. La restauration sera longue, mais Crosville est sauvé ! Et comme autrefois, il y a des poules dans la cour, car il reste une exploitation agricole : la famille Lefol l'occupe en paysans comme en châtelains, après l'avoir sauvé de la ruine. Comme le faisaient leurs prédécesseurs, les Lefol paient chaque année un droit de pacage pour leurs bêtes dans les marais du Cotentin. Ce sont maintenant les vaches que l'on surveille du haut du donjon apaisé. Quant aux recettes que nous y avons collectées, elles sont de la plus haute ancienneté, fortement marquées de leur terroir, mais toujours actuelles. Ce sont des recettes d'une humilité trompeuse : la vraie cuisine de terroir sait tirer le meilleur parti de ses produits

La cheminée de la salle d'apparat est un résumé de Crosville : architecture sévère, souci de l'ordre dans la décoration aux colonnettes corinthiennes... mais aussi ces deux petits potagers en coin : le quotidien mêlé au solennel.

Menu du repas Normand du 12 août

Pommeau
Bouillon de poule au tapioca
Poule au cidre
Riz repassé

Un repas qui réunissait des dizaines de convives dans la grande salle du château autour de chanteurs et de conteurs du terroir. L'apéritif est le pommeau normand, un vieux breuvage qui n'est commercialisé que depuis quinze ans. C'est comme un pineau où la pomme remplace le raisin. Il associe la force du calvados à la douceur du moût de pommes frais. Le pommeau se boit frais, sous les pommiers ; il s'utilise aussi beaucoup en cuisine pour déglacer et parfumer les plats.

Poule au cidre.

LA POULE AU CIDRE

La poule de ferme à la chair ferme et goûtée est indispensable.
Si elle fait dans les 2 kg, c'est encore mieux. Découpez-la en morceaux, si elle renferme quelques œufs en formation, gardez-les. Faites revenir les morceaux au beurre. Gardez la carcasse pour un futur bouillon de poule. Ajoutez un gros oignon haché et faites rissoler le tout, saupoudrez d'un peu de farine et faites légèrement blondir, versez un verre de calvados et faites flamber. Arrosez alors de 1 l de cidre (fermier évidemment). Menez à ébullition et baissez le feu. Joignez un bouquet garni, deux carottes en rondelles et laissez courir pendant 1 h. A ce moment ajoutez quelques pommes de terre épluchées et coupées en quartiers et les œufs inachevés. Poursuivez la cuisson pendant encore 1 h. Mettez alors deux bonnes cuillerées à soupe de crème, remuez délicatement. Servez ce plat succulent avec du cidre, le même qui a présidé à la cuisson.

LE RIZ AU LAIT REPASSE

Quand les « salamandres », qui sont des grils rapides à effet par le haut, n'existaient pas, l'ingéniosité humaine et le bon sens pourvoyaient à la création. Foin des crèmes brûlées ! Ici les anciens fers à repasser, mis à chauffer sur le gaz de la cuisinière, font office de salamandres.
La recette du riz est simple : 1 l de lait, une tasse à café de riz rond, une tasse à café de sucre semoule, un sachet de sucre vanillé. Faites bouillir le lait, rincez le riz rond à l'eau froide courante, mettez à cuire à feu doux. Et ce pendant une petite heure… Dans le dernier quart d'heure ajoutez le sucre. Faites chauffer sur le feu votre fer bien nettoyé. Mettez le riz dans un saladier, saupoudrez de sucre roux. Quand le fer est bien chaud, posez-le avec précaution sur la surface du riz, de gros nuages de vapeur odorants s'échapperont et embaumeront tout autour de vous. La chaleur du fer forme une couche de sucre glacé et coloré.
Bon appétit !

BOUILLIE DE SARRASIN

Prenez un bol de farine de sarrasin, délayez avec 2 l de lait froid, petit à petit, salez avec du gros sel. Sur le feu, tournez jusqu'à ce qu'elle épaississe. Goûtez et rectifiez l'assaisonnement. Cette bouillie se fait la veille. Faites-la refroidir dans un moule à cake. Découpez-la en tranches et passez-les au beurre sur une crêpière ou une poêle. Servez. Nous avions trouvé en Bretagne une recette similaire, employant la farine d'avoine.

SOUPE A LA GRAISSE

La graisse est préparée avec le suif de bœuf, prélevé autour des rognons. On le fait fondre doucement, sans brûler, sans colorer, on rajoute des légumes de toutes variétés, du persil, du laurier, du thym. Le feu restera modéré, la cuisson surveillée pendant quelques jours, et la graisse remuée de temps en temps la première journée. Tout cela prendra une couleur foncée ; cette cuisson est délicate, car la graisse chaude peut se projeter sans crier gare et vous brûler ! Il faudra ensuite passer le tout au tamis, presser les déchets à la louche, extirper la « substantifique moelle », puis laisser refroidir toute cette graisse parfumée et concentrée, qui se conservera très longtemps dans des pots en grès. Si vous n'avez pas la patience de la fabriquer, vous pourrez en trouver dans quelques bonnes charcuteries. Alors, pour faire la soupe à la graisse, il suffit de prélever un morceau de graisse, de la jeter dans de l'eau avec des légumes du jardin. Et de faire cuire. Quand la soupe est prête, disposez des biscuits (c'est ici un pain plat très cuit et bruni) et recouvrez de liquide chaud. Et avec cela, vous affronterez sans crainte les bourrasques de l'hiver.

LE SANG-CHAUD

Première recette
Moitié lait, moitié sang, un oignon haché, du gras de rognon de porc, sel, poivre. Deux œufs entiers battus. Cuisson à four vif. Comme un soufflé.

Deuxième recette
Pour une portion de sang cuit, du boudin blanc, de la barde. Réchauffez le tout en mettant du lait, un peu de crème fraîche, du persil, assaisonnez. Faites mijoter le tout à petit feu. « Mouvez bien » ; il faut équilibrer les quantités.

LES ŒUFS AU LAIT

Pesez 125 g de sucre, mélangez à 1 l de lait que vous mettez à bouillir, ajoutez une gousse de vanille fendue en deux ; battez quatre œufs entiers dans une terrine ; ajoutez peu à peu, en remuant, le lait bouillant, après avoir ôté la vanille. Versez dans des ramequins individuels et mettez à cuire au bain-marie pendant 40 min dans un four préchauffé à 220 °C. Mais attention, baissez ensuite à 180 °C car le mélange ne doit pas bouillir, sinon, il s'égrène et le dessert est raté, bon peut-être mais tellement moins que si c'est réussi.

Le riz repassé... et son fer.

SAUSSEY

L'appel de la Merveille

*La salle à manger privée, datée de 1717. C'est l'ancienne cuisine du manoir,
amoureusement ornée de faïences et de verreries rares, d'enseignes, et même
de trompettes anglaises du XVIᵉ siècle.*

Sur cette crédence hollandaise du XVIIᵉ siècle, achetée à Rouen, des témoignages magnifiques de la faïence de Rouen, XVIIᵉ et XVIIIᵉ siècles : plats d'évêque, plateau chinois...

La famille de Jacques Langelier, à l'origine « Angelarius », vient de la baie du Mont-Saint-Michel, où elle est citée dès le XIIᵉ siècle. Un lointain oncle, évêque de Saint-Brieuc, avait adopté pour armes personnelles un blason parlant « à deux anges liés ». Aujourd'hui, entouré de ses collections précieuses ou insolites, Jacques Langelier veille à la destinée du vieux manoir de Saussey, au sud de Coutances, dont voici l'histoire tourmentée.

Le fief de Saussey, appartenant à la famille du même nom — dont un membre accompagna Guillaume le Conquérant en 1066, et un autre fit partie de la troisième croisade — échut par alliance aux La Roque puis aux Pellevé, puis par échange aux Le Moyne, et fut vendu par eux en 1645. Mais cette famille conserva le manoir, dès lors séparé de ses droits seigneuriaux. Il est décrit dans un aveu de 1608 comme étant en très mauvais état. Des travaux importants sont entrepris au XVIIᵉ siècle et dans la première moitié du XVIIIᵉ : un inventaire de 1747 décrit précisément le manoir, rehaussé d'un haut pavillon à la Henri IV, avec une aile en équerre, des écuries, étables, un pressoir, une boulangerie, des caves et celliers. Même séparé de son fief noble, Saussey était alors d'influence conséquente. Transmis par mariage aux Mary de Bactot, il fut vendu en 1821 au docteur Laville. Depuis, ce manoir à plusieurs corps enchâssés dans leurs petits jardins de buis a été plusieurs fois revendu. Jacques Langelier l'entretient et le restaure, et l'a enrichi de plusieurs collections précieuses : des

Une autre rareté : cette scène de repas en bois sculpté, française et du XVIIe siècle. Sans doute s'agit-il de la fin du banquet. A remarquer, les verres « couverts ».

Deux petits verres coquins du XVIIIe.

crèches anciennes, de Naples, en verre filé de Nevers, et même une, provençale, du XVIIIe siècle, qui est faite de mie de pain.

Des objets religieux, reliques encadrées de papier tourné, travaux naïfs de communautés religieuses ; des faïences normandes ou plus exotiques ; des verres gravés dont il détient une collection qui est sans doute la première d'Europe ; et de beaux meubles anciens sur lesquels nous avons photographié ces recettes de la Manche, qui vont du nez de Jobourg à la Merveille de l'Occident.

On y découvrira choux-fleurs et carottes, dont la Manche est le premier département producteur ; les coquilles Saint-Jacques de Granville ; les fruits de la mer dont les Manchois sont de gros ramasseurs ; et l'agneau de pré-salé élevé sur les palus du Mont-Saint-Michel.

Menu du 12 janvier

Coquilles Saint-Jacques de Granville à la crème
Côtelettes d'agneau de pré-salé grillées et
sa jardinière de légumes de Créances
Fruits
Vin hilarant des vignes du seigneur

(mis en bouteilles maison. A ce propos, qui sait aujourd'hui que les moines du Mont possédaient jadis une vigne en leur domaine de Brion, entre Avranches et Granville ? Si le nom est prestigieux, le produit en était réservé aux convers, alors que les abbés avaient droit au vin de Gascogne).

COQUILLES SAINT-JACQUES DE GRANVILLE A LA CREME

Comptez cinq noix de coquilles Saint-Jacques de Granville par personne, une cuillerée de crème double, une petite noix de beurre, sel, poivre. Ouvrez les coquilles, enlevez au couteau pointu les noix, débarrassez-en la poche noire et la barbe, gardez une coquille, par personne, que vous laverez à l'eau claire : déposez vos noix, passées à l'eau courante succinctement, sur une assiette. Préparez une sauteuse large, pour qu'il y ait suffisamment de place pour toutes les noix. Mettez un verre d'eau avec du gros sel, faites bouillir. Réservez l'eau que les noix de coquilles auront rendue. Déposez les noix, baissez le feu et laissez

frémir doucement 1 min, retournez les noix et coupez le feu. Ainsi les noix resteront al dente ; et le goût plus naturel. Pendant ce temps, placez vos coquilles vides au chaud. Mettez dans une petite casserole à fond épais la crème fraîche, l'eau des noix réservée, salez et poivrez, vous pouvez ajouter un peu d'une épice de votre choix mais légèrement. Menez à frémissement. Pendant ce temps, déposez les noix sur une serviette pour les sécher. Ajoutez alors dans la crème une noix de beurre que vous faites fondre sans bouillir. Placez les noix dans la coquille, nappez de la crème et parsemez d'un peu de ciboulette finement ciselée. Bon appétit.

COTELETTES D'AGNEAU DE PRE-SALE GRILLEES ET SA JARDINIERE DE LEGUMES DE CREANCES

Un chou-fleur bien blanc que vous détaillez en petits bouquets, cuits dans une casserole d'eau bouillante avec une bonne cuillerée de gros sel, pendant 20 min. Pendant ce temps épluchez quelques carottes de Créances, détaillez-les en petits dés, faites de même avec des pommes de terre, variété ratte, cuisez-les séparément dans une casserole d'eau bouillante salée, les légumes devront être cuits presque al dente.

Egouttez-les tous et rassemblez-les dans un saladier.

Vous placerez un bon morceau de beurre et la ciboulette finement ciselée, remuez le tout.

Tenez au chaud le temps de la grillade des côtelettes qui se fera ainsi : les agneaux de pré-salé étant tendres, on ne les cuira pas trop longtemps. Chauffez bien votre grille, passez-la à l'envers sur feu ouvert pour la nettoyer, frottez-la d'un papier journal. Huilez légèrement les côtelettes. Faites tomber le feu en braises, posez les côtelettes sur le gril. Dès qu'elles sont marquées, tournez-les d'un quart. Laissez cuire 5 min de chaque côté, poivrez au moulin sans excès. Ne salez pas, ça l'est déjà ! Les convives resaleront si c'est leur goût.

SAUMON AU CIDRE

Il y a près de Saussey quelques bonnes rivières à saumon.
Les plus gros ne sont pas les meilleurs.
Levez les filets d'un saumon de 1 kg à 1,5 kg, faites-en le nombre de parts qu'il vous faut en les découpant en biais.
Epluchez quelques échalotes, émincez quelques champignons, blanchissez quelques lardons fumés.
Faites frire dans une poêle ovale, les filets d'abord à feu vif, puis à feu doux. Retournez-les et laissez cuire 10 min, ôtez le poisson et réservez-le au chaud. A sa place

Rien de plus gracieux que ce guéridon à fruits confits français, du XVIIe siècle.
La crédence, elle, est du XVIe.

Ces deux coupes « cul sec » en forme de femmes sont allemandes, de la fin du XVIIe siècle.

mettez les échalotes et les lardons, faites revenir, ajoutez 50 cl de cidre, faites chauffer à feu vif, ajoutez les champignons, salez et poivrez. Que le cidre réduise un peu, puis à feu doux ajoutez une bonne cuillerée de crème fraîche, remuez délicatement, et hors du feu, pour terminer, faites fondre en remuant constamment une bonne noix de beurre. Nappez de cette sauce les filets de saumon.

Crustacés

Ici, les bulots sont des « rans », les tourteaux sont des « pouparts », et les délicieux homards des îles Chausey ou des Ecréhous sont des « demoiselles ».

CREVETTES AU CIDRE

Versez du cidre dans une casserole, salez et poivrez. Au moment de l'ébullition, jetez les petites crevettes dans le cidre, laissez cuire 5 min et égouttez. Simple et bon.

HOMARD A LA CREME

Il faut d'abord séparer la tête du homard et retirer les parties crémeuses que vous réservez au frais. Découpez le homard en tronçons. Faites chauffer dans une sauteuse un peu de beurre, ajoutez les tronçons, quelques échalotes hachées, salez et poivrez. Baissez le feu et remuez jusqu'à la coloration en rouge du homard. Versez un petit verre de calvados et flambez-le. Ajoutez un verre de vin blanc et laissez cuire, à nouveau à feu vif, une dizaine de minutes. Retirez du feu. Dans un récipient, chauffé préalablement, mettez une grosse noix de beurre, la partie crémeuse de la tête du homard, de la crème fraîche. Mélangez bien. Enlevez les tronçons, réservez-les au chaud sur un plat de service. Versez le contenu du récipient dans la sauteuse et faites chauffer 2 ou 3 min. Goûtez et rectifiez l'assaisonnement éventuellement. Nappez le homard de cette sauce.

BOURDELOTS

Prévoyez une pâte feuilletée toute préparée, quatre pommes, quatre cuillerées de sucre roux, un peu de cannelle. Pelez et videz les pommes, placez-les une dizaine de minutes dans l'eau frémissante. Egouttez-les. Découpez quatre carrés dans la pâte feuilletée de la taille des pommes ; placez les fruits au centre, arrosez de sucre roux et d'une pincée de cannelle, une petite noix de beurre. Refermez délicatement la pâte sur les fruits, mouillez vos doigts afin de bien faire adhérer la pâte. Diluez un jaune d'œuf avec un peu de lait et badigeonnez au pinceau la pâte. Enfournez une trentaine de minutes, le temps de donner une belle couleur. Vérifiez en court de cuisson.
Si l'on vous propose en Haute-Normandie des douillons, c'est la même chose.

Ces beaux flacons sont l'occasion de donner deux recettes de cocktails d'Alphonse Allais. Ce fils de pharmacien de Honfleur, et l'un de nos meilleurs humoristes, les prêtait à son ami le Captain Cap. On sait qu'il les avait fréquemment testés.

WHISKY STONE FENCE

« Le whisky stone fence, autrement dit barrière de pierre du whisky, n'est autre que d'excellent cidre sucré et frappé dans lequel vous ajoutez un verre d'irish ou de scotch whisky (Jacques Langelier préfère l'irish). On peut remplacer ces spiritueux par du calvados. »

CORPSE REVIVER

« Cette consommation, d'une si originale fantaisie, est assez difficile à préparer, les produits qui la composent étant eux-mêmes de densités fantaisistes. Il s'agit de verser à l'aide d'une petite cuiller, avec infiniment de précaution pour ne pas les mélanger, les douze liqueurs suivantes : grenadine, framboise, anisette, fraise, menthe blanche, chartreuse verte, cherry-brandy, prunelle, kummel, guignolet, kirsch et cognac. On avale d'un seul coup. »
On reconnaît bien ici la précision du laborantin que fut ce vieil Alphonse. Et le caractère bien gratuit de la haute cuisine ; car, après tout, ces ingrédients finissent vite mélangés !

La façade d'entrée. Les cartes postales du début du siècle montrent encore l'aile de droite couverte de chaume.
Les épis de faîtage, dont certains sont de jolis pigeons, furent fabriqués à Sauxemesnil, dans le nord du Cotentin.

Bouteille à liqueur allemande, Bohême, vers 1600.

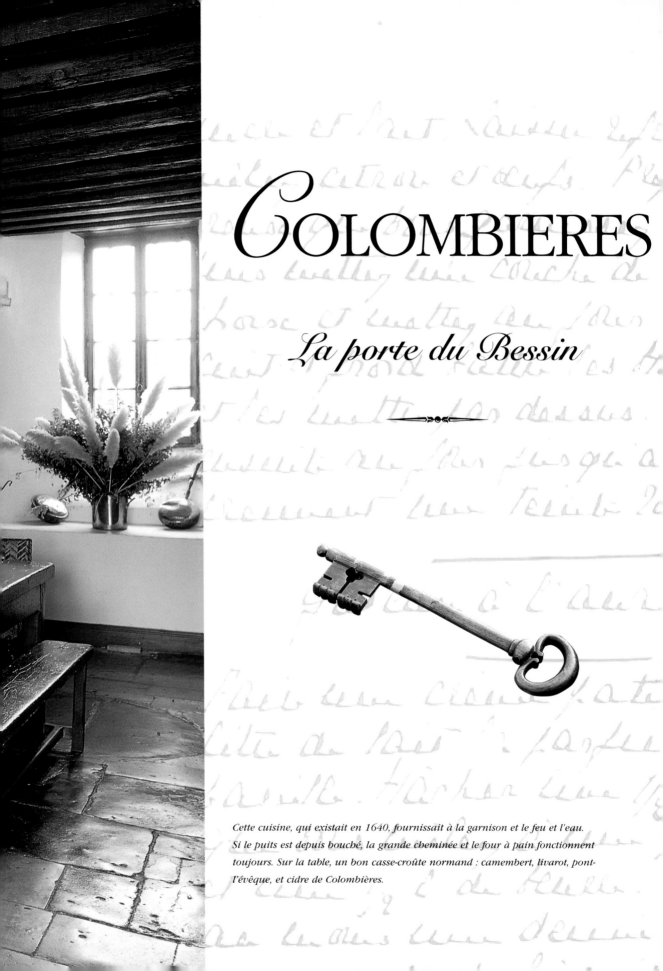

COLOMBIERES

La porte du Bessin

Cette cuisine, qui existait en 1640, fournissait à la garnison et le feu et l'eau.
Si le puits est depuis bouché, la grande cheminée et le four à pain fonctionnent
toujours. Sur la table, un bon casse-croûte normand : camembert, livarot, pont-
l'évêque, et cidre de Colombières.

*A*u cœur du Bessin, le château de Colombières est l'aimable rejeton d'une très vieille forteresse. On le voit aujourd'hui ouvert sur deux côtés, se reflétant dans ses douves, et l'on a peine à imaginer son aspect ancien, clos de très hauts murs où le soleil ne pénétrait que rarement. Dans le Bessin au passé tourmenté, on relève le nom d'un Colombières compagnon de Guillaume le Conquérant, puis celui de Philippe de Colombières, seigneur au XIIᵉ siècle de ce lieu, l'une des places fortes les plus impressionnantes de Normandie. Le château, verrou sur l'accès vers l'intérieur de la Normandie, était alors proche de la mer, qui depuis a reflué, laissant un marais, et cette forteresse sans grand rôle stratégique. Quoique… en année pluvieuse, on dit ici que « le marais est blanc », et alors qui sait où il finit, et où commence la mer ? Ce marais cependant a des portes à flots, que les Allemands fermèrent en 1944 pour contrarier le débarquement allié.

L'arasement des murs, qui dépassaient dix mètres de haut, a permis à Colombières de passer d'une forteresse austère à une maison plus aimable, qui garde cependant de nombreux témoignages de son ancien statut.

Mais revenons au passé de Colombières. La seigneurie fut reprise au XIIe siècle par les Bacon, dont une branche fut Bacon de Colombières. Des Colombières, il passa aux Bricqueville, vieille famille de la Manche pour qui la terre fut érigée en marquisat. La chapelle située à l'étage suivit les cultes de la famille, catholique, protestante, puis de nouveau catholique.

Le château fut modifié au XVIe et au XVIIIe siècle, dans le parti plus aimable d'une ouverture vers la lumière. Des quatre tours d'angle, il en reste trois. Mais une petite tour octogonale a été enchâssée dans la façade. Heureusement, sont restées les douves d'eau courante qui encerclent la maison et lui donnent l'aspect d'une île bienheureuse. Après l'extinction de la branche des marquis de Colombières, le château s'est transmis depuis le XVIIIe siècle dans la même famille : d'abord Hatte (conseiller du roi, qui l'acheta en 1750), puis Girardin, de Baye, de Briey, Cossé, enfin Thérèse de Cossé-Brissac et son époux, le comte Etienne de Maupeou d'Ableiges. Colombières s'est transmis par les femmes.

Il est aujourd'hui ouvert et accueillant. Mais… avez-vous remarqué ces meurtrières contre le portail ? Et cette grande porte qui abrite la cour intérieure ? Colombières est toujours bien gardé ! Sur le linteau de la salle des gardes, on lit encore la plaque apposée en 1631 par Gilles de Bricqueville, seigneur de Colombières :

« Cherchez l'Eternel pendant qu'il se trouve, invoquez-le tandis qu'il est près ; que le meschant délaisse son train et l'homme outrageux ses pensées et qu'il retourne à l'Eternel et il aura pitié de luy […]. » L'histoire a passé. Et c'est aujourd'hui une demeure ouverte aux hôtes de passage. S'ils dorment dans l'ancienne chapelle, ils y verront face à face un potager en pierre et une « kitchenette » dissimulée dans l'armoire normande. Ils auront droit comme nous aux beaux petits déjeuners dans la salle à manger, qui ouvre sur la cour, et aussi sur les douves.

On aime aussi les bons vins à Colombières. La famille de Maupeou d'Ableiges s'est récemment alliée aux Manoncourt, propriétaires du château Figeac, fief historique de Saint-Emilion, et l'un des premiers crus de cette commune.

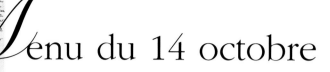

Menu du 14 octobre

Soufflé au fromage
Bœuf aux carottes
Fromages de Normandie
Crumble pomme-poire

CHÂTEAU DE COLOMBIÈRES

Menu

Feuillantine de Turbot

Dodine de Canard aux Raisins

Pommes en l'Air

et Jardinière fraîche de Légumes

Fromages

Charlotte de Fruits Rouges

—

Vins

Blanc de Touraine

Piseccoli 1982

SOUFFLE AU FROMAGE

Faites chauffer 50 cl de lait, salé et poivré. Faites un roux blanc avec 40 g de beurre et 40 g de farine. Ajoutez le lait, remuez bien. Ajoutez 200 g de gruyère râpé et cinq jaunes d'œufs. Mélangez bien, battez six blancs en neige que vous incorporez délicatement au mélange. Préchauffez votre four à 220 °C. Beurrez un moule à soufflé et disposez le mélange.
Faites cuire 30 min en surveillant bien.
Et n'oubliez pas : « On attend un soufflé mais un soufflé n'attend pas. »

BŒUF AUX CAROTTES

Faites revenir un morceau de bœuf dans l'aiguillette ou la culotte, qui aura été lardé au préalable ; farinez légèrement, mouillez de 50 cl de vin blanc, ajoutez quelques oignons hachés, quelques carottes coupées en rondelles, quelques

Soufflé au fromage.

navets en quatre, une branche de céleri, du persil et laissez cuire doucement pendant 3 h. Une heure avant la fin, ajoutez des girolles ou autres champignons.
Accompagnez de pommes de terre rôties, blanchies au préalable.

LE CRUMBLE POMME-POIRE

Il faut 1 kg de fruits mélangés, 100 g de farine, 100 g de sucre roux et 100 g de beurre doux.
Malaxez la farine, le beurre ramolli et le sucre.
Coupez les fruits, disposez-les dans un plat et saupoudrez-les d'un peu de sucre roux.
Répartissez la pâte grumeleuse sur les fruits et faites cuire à four doux pendant 1 h.

Servez chaud avec de la crème épaisse diluée d'une cuillerée à soupe d'eau froide.

PATE DE FOIE DE VOLAILLE

Délicieux sur des toasts à l'apéritif.
Mixez ensemble 250 g de foies de volailles dénervés, 500 g de poitrine de porc fumée, deux œufs entiers, un verre de vin blanc sec, une cuillerée à soupe de cognac, poivre mais pas de sel.
Puis ajoutez 200 g de crème fraîche, mixez encore.
Versez dans un moule, parsemez de poivre vert et faites cuire au bain-marie 10 min sur le feu puis 20 min toujours au bain-marie, mais au four, recouvert d'un papier aluminium.

TOURTE POIREAUX ET SAUMON

Effeuillez du saumon cuit au court-bouillon.
Cuisez des blancs de poireaux émincés.
Etalez une pâte brisée sur le fond d'un moule à manqué.
Disposez les poireaux bien égouttés et le saumon effeuillé.
Battez un pot de crème avec un œuf entier, salez et poivrez fortement.
Nappez le mélange.
Placez une autre pâte brisée, soudez bien et faites une cheminée. Délayez un jaune d'œuf avec un peu d'eau et dorez la pâte. Enfournez et faites cuire jusqu'à ce que la pâte soit bien dorée.

ŒUFS VICTOIRE

Mettez à bouillir 1 l de lait.
Réservez-le. Battez huit œufs entiers dans une terrine allant au four avec un fouet de manière ferme.
Qu'ils soient bien battus.
Salez et poivrez.
Versez délicatement le lait, tout en battant. Préparez un bain-marie, déposez-y la terrine et enfournez à four chaud pendant 1 h.
Surveillez l'eau du bain-marie.
Quand c'est cuit, attendez un peu avant de démouler sur un plat de service.
Servez avec une sauce tomate agrémentée de crème fraîche.
Décorez avec du persil.

La salle à manger est installée dans des dépendances transformées au siècle dernier. On y admire une collection d'assiettes de la Compagnie des Indes.

CABILLAUD EN GELEE

Il faut avoir un moule à baba pour réaliser cette entrée, simple et de bel effet.
Prenez un morceau de cabillaud, faites un court-bouillon bien relevé, cuisez le poisson mais qu'il reste ferme. Laissez-le refroidir. Enlevez la peau, les arêtes.
Epluchez des tomates avec un couteau d'office bien pointu et bien acéré. Pelez également un concombre ou une courgette ; découpez des petits losanges ou autres motifs dans ces pelures, déposez le poisson de façon égale dans le moule, décorez des dessins de légumes, arrosez de gelée (Maggi). Mettez au froid au moins 3 h. Démoulez. Servez avec une mayonnaise et une salade verte.

CANARD FAÇON COLOMBIÈRES

Découpez le canard. Faites revenir dans de la graisse, saupoudrez de farine et ajoutez 50 cl de vin rouge, remuez bien, ajoutez du thym, du laurier, des baies de genièvre, salez et poivrez.
Laissez cuire doucement pendant 45 min.
Débarrassez le canard sur un plat

et passez la sauce au tamis.
Remettez-la sur le feu et faites-y
fondre un bon morceau de
beurre avec une bonne cuillerée
de crème.

Dressez le canard, nappez de la
sauce et servez avec du riz nature, une purée de marrons, ou des
poires cuites au vin rouge.

ROTI DE PORC AUX ABRICOTS

Faites revenir un rôti de porc de
1,5 kg avec des échalotes
hachées, saupoudrez de farine
et mouillez avec du bouillon ou
un Viandox. Ajoutez 500 g
d'abricots secs.

Laissez cuire 1 h 30 à petit feu
et dans une cocotte à fond épais.
Servez avec des pommes de
terre sautées, ou du riz et
des épinards.

GATEAU AUX MARRONS

1 kg de marrons, 100 g de
chocolat, 100 g de beurre, 100 g
de sucre.

Faites cuire les marrons,
épluchez-les et mettez-les en
purée avec un peu de sel.
Faites fondre le chocolat,
le beurre et ajoutez le sucre.
Mélangez le tout de façon
homogène avec la purée de
marrons. Tassez dans un moule
à charlotte, très fort, puis
retournez-le.
Faites fondre un peu de chocolat
qui recouvrira le gâteau.
Décorez d'une châtaigne et
servez avec une crème fraîche.

*Le calvados est une fierté de la
Normandie.
Ces vieux flacons recueillaient la
production du domaine.*

Crumble pomme-poire.

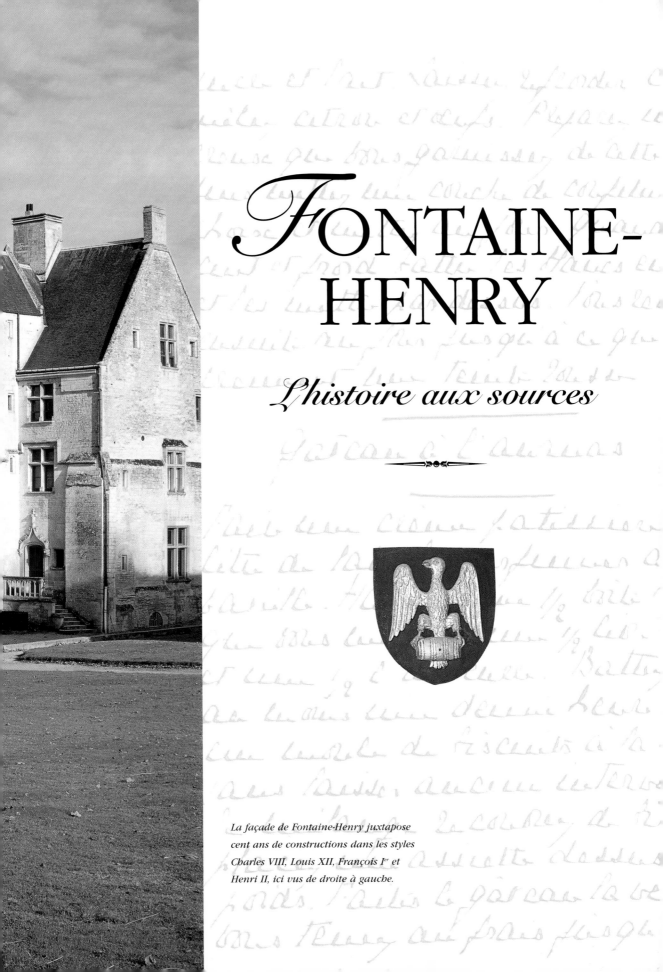

FONTAINE-HENRY

L'histoire aux sources

*La façade de Fontaine-Henry juxtapose
cent ans de constructions dans les styles
Charles VIII, Louis XII, François Ier et
Henri II, ici vus de droite à gauche.*

*O*illiamson. Prononcez « Oliançon », et vous aurez compris le cheminement de cette vieille famille écossaise devenue l'une des plus normandes, tant il est vrai que la Manche, ici, près de Bayeux à l'éloquente tapisserie et près des plages du débarquement, n'est pas bien large. Les Williamson servaient les rois de France dans leur garde écossaise, et y ont pris racine. Ils venaient d'un clan à l'extrême nord de l'Ecosse, alliée contrariée de l'Angleterre. La famille est connue depuis le XIVe siècle.

Le château de Fontaine-Henry, auquel on prête les plus hauts toits de France, échut aux Oilliamson en 1898, par un mariage avec Hermine de Cornulier, d'ancienne noblesse bretonne. On entre aujourd'hui au château par l'ancienne cuisine, dont les trois cheminées accolées sont surmontées des blasons des propriétaires successifs :

Tilly : il subsiste quelques vestiges, du XIe siècle, du château, de la puissante famille de Tilly, cousine des Plantagenêts rois d'Angleterre, dont des contreforts maintenant isolés dans la vallée, une grande cave voûtée, et la chapelle.

D'Harcourt : c'est une grande famille de Normandie. Par mariage, Philippe d'Harcourt devint seigneur de Fontaine-Henry vers 1375. Fidèle au roi de France, il fut dépouillé de ses biens par l'Angleterre. Ce n'est qu'à la fin de la guerre de Cent Ans que ses descendants rentrèrent en possession de leurs biens. Jacques, puis

Jean d'Harcourt restaurèrent et embellirent le château. Pas de salle à manger à l'époque : on dressait une table suivant les convenances du moment (comme beaucoup d'autres, cette précision est tirée de la plaquette consacrée au château par son propriétaire, Jacques d'Oilliamson). A Jean d'Harcourt, on doit de nombreux travaux, et notamment l'agrandissement du château vers un vieux châtelet, et ces toits si hauts, plus hauts que la maçonnerie qu'ils surmontent, et qui ont fait la renommée de Fontaine-Henry.

Morais : le château, et ses dépendances, fut partagé en 1561 entre les deux sœurs de Pierre d'Harcourt, puis réuni au profit d'Anne de Morais. Fontaine-Henry était alors autant ferme que château.

Boutier de Château d'Assy : c'est une fille de François de Morais, dont la fille unique apporta le château aux Montécler.

Montécler : François-Louis, comte de Montécler, emménage dans un château dont une partie est occupée par la ferme. On leur doit plusieurs aménagements de la maison, toujours partagée entre le seigneur et ses fermiers.

Marguerie : Henry de Marguerie, marquis de Vassy, épousa l'unique fille des Montécler. Sans doute ils voulurent entamer une nouvelle campagne de travaux, mais reculèrent devant le coût. C'est leur fille Louise-Madeleine-Henriette qui géra la propriété durant la Révolution. Aimée, elle sauva le château, mais pas les archives qui furent brûlées.

Carbonnel de Canisy : Henri de Carbonnel, marquis de Canisy, était le neveu de Louise de Marguerie. Héritant du château en 1804, il voulut y imprimer la marque d'un aristocrate formé au goût anglais : communs fonctionnels, étangs en contrebas, et déplaça la cuisine vers le côté nord qu'elle occupe aujourd'hui.

Cornulier : Gontran, marquis de Cornulier, épousa en 1847 Elisabeth Le Doulcet de Méré, nièce de madame de Canisy.

Oilliamson : en 1898, Hermine de Cornulier apporta Fontaine-Henry au comte Pierre d'Oillamson. Le château n'avait jamais été vendu. De plus, Pierre d'Oilliamson descendait des Tilly et des d'Harcourt. Les deux branches réunies, pouvait débuter une campagne de réhabilitation de ce château emblématique de la Renaissance, longtemps partagée entre l'affirmation seigneuriale et la réalité agricole. Fontaine-Henry est aujourd'hui la demeure du comte et de la comtesse Jacques d'Oilliamson.

Comme tous les historiens, nous nous sommes interrogés sur une construction si hétéroclite ; comme eux, nous avons regretté la destruction des archives de cette maison ; Fontaine-Henry, aux plus hauts toits de France, reste une énigme. Nous, nous en avons suivi la cuisine, passée du côté sud au centre, puis au nord. La grande galerie qui domine la vallée a pris la destination d'une salle à manger chaleureuse. Les recettes de Fontaine-Henry sont du terroir de Caen, mais aussi de Belgique d'où est originaire madame d'Oilliamson, née Thérèse d'Ursel.

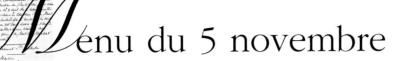

Menu du 5 novembre

Salade de chicons ciselés au roquefort et aux noix
Rôti de veau froid sauce Oilliamson
Fromages
Charlotte aux pommes

Boutons de vénerie de l'équipage
Cornulier. Devise : « Partout j'en suis ».

Charlotte aux pommes.

ROTI DE VEAU BRAISE

Prenez un rôti dans la longe de veau désossée, ou un morceau dans la noix, ou le quasi. Trouvez une cocotte de la taille adéquate. Versez dans le fond de l'huile d'olive, de façon à bien le recouvrir. Quand l'huile est chaude, faites revenir le veau de part en part, puis baissez le feu, couvrez et laissez cuire une bonne heure, suivant la taille de la longe. Quand c'est cuit (vérifiez avec la pointe d'un couteau), débarrassez sur un plat et laissez refroidir.

SAUCE OILLIAMSON

Appelée également sauce Yvette, cette sauce se marie très bien avec les viandes froides : autant de sucre que de moutarde, puis faites comme une vinaigrette normale : un peu de vinaigre, salez, poivrez, et de l'huile. Goûtez.

CHARLOTTE AUX POMMES

Faites une compote de pommes, avec des reinettes que vous sucrez à votre goût, ajoutez également du sucre vanillé. Pendant qu'elle compote, découpez des carrés uniformes dans du pain de mie. Comptez le nombre de tranches selon la grosseur du moule à charlotte utilisé. Faites-les dorer à la poêle dans du beurre. Disposez les tranches dorées dans le moule, tapissez-en d'abord le fond puis les parois circulaires. Remplissez l'intérieur de la compote, disposez d'autres tranches sur le dessus. Passez au four le temps que le tout s'uniformise. Servez chaud avec de la crème double.

LES BOURDOTS

Aussi appelés douillons, ces desserts sont typiquement normands. Ils se font aussi bien avec des pommes qu'avec des poires. Préparez une pâte brisée avec 250 g de farine, 125 g de beurre doux, une pincée de sel, mouillez d'un peu d'eau. Faites une boule que vous laissez reposer 1 h. Préparez quatre pommes : épluchez-les tout en gardant la queue des fruits. Saupoudrez d'un peu de sucre semoule ou brun et disposez une noix de beurre ou du miel sur le dessus. Vous pouvez aussi mettre un peu de cannelle ou autre épice de votre goût. Prenez votre pâte, découpez quatre carrés. Installez les pommes et là, délicatement, vous remontez les bords, laissez dépasser la queue, au besoin humidifiez-vous les doigts pour faire coller la pâte.

Délayez un jaune d'œuf avec un filet d'eau. Dorez les bourdots, faites une petite décoration avec la pointe d'un couteau.

Enfournez à four chaud pendant une trentaine de minutes.

LES CHICONS

C'est ainsi que l'on appelle les endives en Belgique. Ce sont en fait les parties comestibles de la chicorée witloof. On peut traiter ces légumes d'hiver de bien des façons.

SALADE DE CHICONS CISELES AU ROQUEFORT ET AUX NOIX

Lavez un chicon par personne. Découpez-le en petits morceaux. Préparez une vinaigrette classique. Ajoutez les cerneaux de noix et du roquefort émietté. Mélangez le tout. Laissez mariner une demi-heure.

FAISAN AUX CHICONS

Nettoyez les chicons, retirez le petit cône amer situé à la racine, lavez-les bien, essorez-les bien, et coupez-les régulièrement en petites lanières. Faites fondre gros comme un œuf de beurre dans une sauteuse et placez-y les chicons, remuez et ajoutez une petite cuillerée de sucre fin, le filet d'un jus de citron, du sel

Rôti de veau sauce Oilliamson.

et du poivre, couvrez et laissez mijoter jusqu'à ce que leur couleur change. Réservez-les, le temps de préparer votre faisan. Le faisan aura été plumé, vidé, et nettoyé. Ensuite, vous le passez sur les flammes pour brûler tout le petit duvet… Bardez-le de fines tranches de lard et faites-le dorer dans une cocotte ovale dans un mélange de beurre et d'huile. Laissez-le cuire 45 min. Sortez-le de la cocotte, couvrez-le de papier d'argent, et laissez-le se reposer. Pendant ce temps, jetez la graisse, et versez un verre d'eau, ce à feu vif, que l'eau réduise au maximum, ajoutez alors les endives

préparées, remuez sur feu doux et ajoutez de la crème fraîche. Laissez reprendre de la chaleur. Pendant ce temps, déficelez vos bardes de lard, découpez votre faisan en morceaux que vous dressez sur un plat. Laissez un vide au centre, dans lequel vous adjoindrez les chicons à la crème.

CHICONS AUX CREVETTES GRISES

Une salade de chicons relevée à la vinaigrette, et des crevettes grises cuites à l'eau, roulées dans du gros sel puis seulement étêtées.

Le bénédicité veille sur la salle à manger. C'est la copie, par Aubry, peintre normand du XVIIIe siècle, d'un célèbre tableau de Chardin.

Les couverts sont aux armes Cornulier - Le Doulcet de Méré.

ANDOUILLE A LA BOVARY

Préparez des petites crêpes salées de la taille d'une tranche d'andouille, avec un bord de 1 cm. Faites une chiffonnade verte d'épinards et d'oseille, que vous dressez sur une assiette, ajoutez la petite crêpe chaude sur laquelle vous placez une rondelle d'andouille qui, au contact de la chaleur de la crêpe, se réchauffera juste ce qu'il faut.

SABLES DE CAEN

250 g de farine, 125 g de sucre en poudre, un parfum de votre choix, 250 g de beurre et trois jaunes d'œufs durs, écrasés et passés au tamis, une pincée de sel. Faites reposer cette pâte une petite heure.
Abaissez-la à l'épaisseur de 5 cm. Et, avec un emporte-pièce cannelé d'environ 4 cm de diamètre, vous y faites des rondelles.
Disposez-les sur une plaque

mouillée légèrement, quadrillez-les avec la pointe d'un couteau. Passez-les au four chaud, entre 6 et 8 min.

TRIPES A LA MODE DE CAEN

Ces tripes seront cuites dans une « tripière », lutée, c'est-à-dire fermée avec un cordon de pâte, et dans un four de boulanger. Prévoyez 4 kg de tripes assorties (la panse, le bonnet, le feuillet et la caillette qui sont les quatre parties de l'estomac du bœuf) que vous aurez fait dégorger, blanchir, rafraîchir et aurez découpées en petits carrés. Dans le fond de la tripière, déposez des oignons, des blancs de poireaux, des carottes — certains mettent des pommes —, puis ajoutez les tripes, un pied de veau fendu, un pied de bœuf également fendu, quelques gousses d'ail et un gros bouquet garni, terminez par des blancs de poireaux. Salez et poivrez (pour 1 kg, 10 g de sel et 2 g de poivre). Et, au final, parsemez de graisse de bœuf. Mouillez avec du bon cidre, 1 l, et du calvados, un grand verre, et de l'eau pour que toutes les viandes baignent. Couvrez la tripière et lutez-la. Faites cuire dans un four de boulanger toute une nuit. Quand c'est fini, ôtez le couvercle, séparez les tripes du jus que vous dégraisserez. Remettez les tripes dans la tripière, et recouvrez-les de jus

dégraissé. Elles se servent avec des pommes de terre à l'anglaise (c'est-à-dire à l'eau tout simplement). Mais il y a encore plus simple, c'est d'aller les acheter chez les bons charcutiers ! Il n'y aura plus qu'à les réchauffer et les déguster.

Dans la salle à manger, une belle perdrix anonyme.

Loin de la petite salle close mise à l'honneur au XIXe siècle, la salle à manger ici prend place dans une longue galerie.

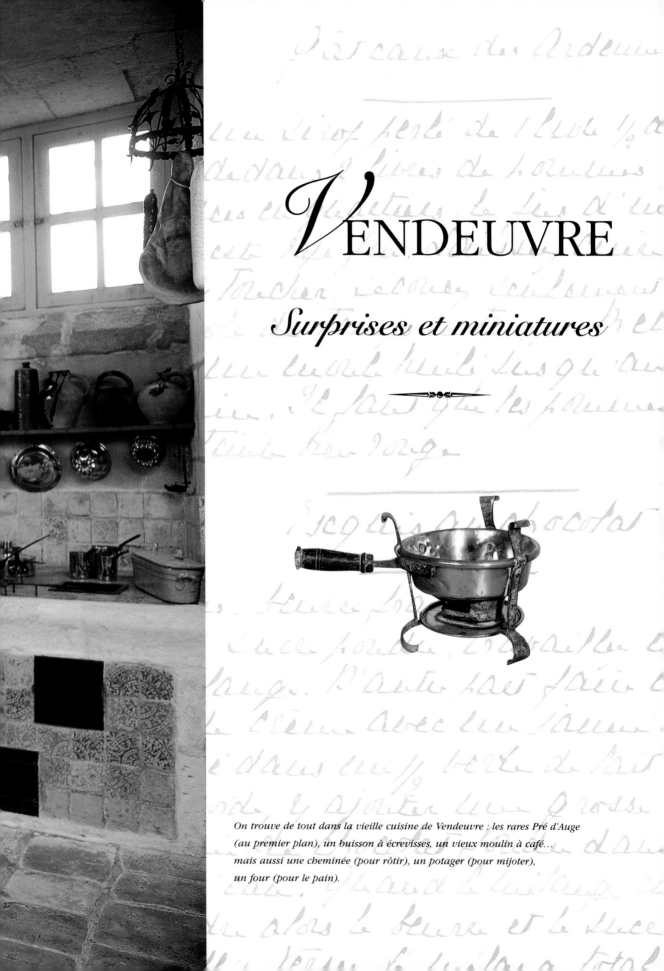

VENDEUVRE

Surprises et miniatures

On trouve de tout dans la vieille cuisine de Vendeuvre : les rares Pré d'Auge (au premier plan), un buisson à écrevisses, un vieux moulin à café... mais aussi une cheminée (pour rôtir), un potager (pour mijoter), un four (pour le pain).

Le voyageur distrait, quoique érudit, qui voit en passant le château de Vendeuvre, derrière une belle grille rapportée, se dit : « Tiens, une gentilhommière du XVIIIe siècle. » Et, en poursuivant sa route, il se prive de la plus surprenante visite que nous ayons faite en Normandie. Car Vendeuvre, propriété du comte et de la comtesse de Vendeuvre (commune de Vendeuvre), est un château à surprises renouvelées, dans la majesté de ses salons, les folies de son parc et l'écrin de son orangerie.

Son histoire commença pourtant de manière bien traditionnelle : plusieurs familles se succédèrent comme seigneurs de Vendeuvre.

Vendeuvre : une belle maison de campagne XVIIIe, devenue une folie XXe.

Puis en 1739, Jeanne Gabrielle de Beaurepaire de Louvagny, épousant Alexandre Le Forestier d'Osseville (de vieille famille normande descendant des comtes de Flandre), lui apporta en dot la seigneurie dont ils prirent le nom. Ils firent construire le château actuel. Alexandre disposait d'une belle fortune, et la campagne ne dura que de 1750 à 1752, donnant naissance à une belle « maison des champs » qui n'a pas été beaucoup modifiée depuis : construction de l'orangerie en 1785 ; transformation du parc au XIXe siècle.

Grilloir à café, grille-pain recto verso... la vieille cuisine savait être astucieuse.

Guy, comte de Vendeuvre, en est le propriétaire et le nouvel architecte. La dernière guerre a occupé, vidé, dépeint, labouré et bombardé le château. Depuis, des travaux se succèdent, rendant à la demeure son bel aspect classique et délibérément sobre. Jacques-François Blondel, auteur des plans, n'avait-il pas écrit : « Il faut éviter absolument de jeter de la poudre aux yeux par une ornementation inutile et une façade démesurée qui nuise aux commodités intérieures », rejoignant en cela le goût du propriétaire. Vendeuvre est donc un château aux proportions humaines, de distribution rationnelle pour la vie à la campagne d'une famille aristocratique, et noblement meublé comme il se doit. Cinq salons en enfilade dominent la vallée de la Dives. On y découvre de beaux fauteuils, un lustre à poissons (surprise...), et même un Bourdaloue... Pour savoir ce que c'est, il vous faudra visiter Vendeuvre !

Passé cet aperçu formel, voici Vendeuvre tel que nous l'avons découvert : un château à surprises, conjuguant les passions de Guy et Elyane de Vendeuvre.

A lui (en majeure partie) le percement récent d'un grand bassin sur la façade sud ; les jardins d'eaux à surprise et les folies du parc ; la grotte aux coquillages ; et un nouveau jardin exotique, et de nouvelles surprises...

A elle (essentiellement) la collection, depuis ses 7 ans, de miniatures en tout genre, les niches minuscules, les cuisines de poupées ; les chefs-d'œuvre de compagnons patiemment rassemblés ; plus de sept cents pièces, le premier musée au monde du mobilier miniature, et de nouvelles surprises...

A tous les deux l'amour de la bonne cuisine, l'entassement de vieux ustensiles dans la cuisine d'époque, et les bonnes recettes que voici. Certaines proviennent des carnets de Tante Germaine : une grand-tante de monsieur de Vendeuvre, décédée à l'âge de 103 ans. D'autres de la famille d'Elyane de Vendeuvre, née de Grimouärd. A tous la devise des Vendeuvre : « Ni regret du passé, ni peur de l'avenir ».

Le réchaud où l'on fait revenir les tripes de Caen, qui doivent être servies bien chaudes.

APERITIF CINZANO

1 l de vin rouge, 200 g de sucre cristallisé, vingt têtes de camomille, 40 g d'écorce d'orange, un verre d'eau-de-vie. Quinze jours de macération. Filtrer ensuite.

SANDWICH CLAUDE

Faites une mayonnaise à la moutarde, hachez au mixer deux œufs durs et une grosse poignée de menthe, mélangez le tout, garnissez vos tartines dans du pain de votre choix.

PATE DE LAPIN

Prenez un lapin de garenne coupé en morceaux comme pour une gibelotte et non désossé (ne prendre que le derrière ou du moins enlever la tête). Si vous prenez un lapin de choux, faites-le mariner pendant deux ou trois jours avant et, au moment de vous en servir,

égouttez-le bien. Mettez au fond d'un grand moule une barde de lard très mince puis une couche de morceaux de lapin bien serrés mais ne se chevauchant pas les uns sur les autres, sel, poivre, épices si l'on veut, puis une nouvelle barde de lard très mince, une couche de morceaux de lapin, sel, etc.,
et ainsi de suite jusqu'à ce que le ou les lapins soient employés. Terminez par une barde de lard et mettez à cuire au bain-marie pendant 5 ou 6 h au moins — en ayant soin d'ajouter de l'eau dans le bain-marie et d'y maintenir sans cesse l'ébullition. Laissez refroidir et ne démoulez que pour servir le lendemain ou le surlendemain.

BROCHET SANCERRE A LA CREME

Faites cuire le brochet sur un lit de carottes et d'oignons, recouvrez de vin blanc de

D'où vient cette petite terrine aux curieuses fleurs de lys. Et cette grosse en forme de lièvre ? Mystère et miniatures...

Sancerre, ajoutez beurre, sel, poivre. Recouvrez de papier d'argent et vérifiez la cuisson avec un couteau.

La sauce : préparer un roux blanc et mouillez avec le jus de cuisson.

Avant de servir : ajoutez un jaune d'œuf, de la crème fraîche et du jus de citron (pour 50 cl de sauce, prévoir deux cuillerées de crème, un jaune d'œuf et le jus d'un citron).

FRICANDEAU SAUCE VENDEUVRE

Faites cuire au jus un fricandeau (tranche épaisse de noix de veau) ou un bon morceau de rouelle de veau. Quand il est cuit et environ 20 à 25 min avant de le servir, retirez-le de la casserole mais en ayant soin de le tenir au chaud. Puis prenez gros comme un œuf de beurre très frais, pétrissez-le bien dans la farine et mettez-le dans la sauce du fricandeau avec un bon demi-verre de crème très douce. Laissez le tout cuire ensemble en remuant de temps en temps.

Il faut que cette cuisson dure à peu près de 15 à 20 min et il faut que cette sauce bouille afin que la farine soit bien cuite et qu'elle s'épaississe, car elle doit être très liée, de couleur blonde ou rousse. Le lendemain elle est excellente froide, c'est une vraie sauce de chaud-froid.

LIEVRE A LA ROYALE

Disposez le lièvre dans une cocotte en fonte, après l'avoir ficelé. Faites-le revenir à feu doux. Préparez un hachis avec le foie du lièvre, 500 g de lard frais, des échalotes et du persil. Faites cuire l'ensemble doucement. Faites bouillir un plein bol d'ail, égouttez et joignez-le au hachis.

La salle à manger de Vendeuvre ouvre sur le couchant. La nappe damassée de Caen reproduit le château, que dévoilent les derniers rayons de soleil. La chaise est un rêve de bébé gourmand, c'est celle de Louis-Ferdinand de Vendeuvre.

A l'âge de 7 ans, Elyane de Vendeuvre tomba en admiration devant un petit secrétaire en marqueterie, chez une tante âgée. Celle-ci le lui légua, et ce fut le début d'une collection. Après des années de recherches, Vendeuvre présente aujourd'hui un ensemble fabuleux de petits chefs-d'œuvre. Comme cette cuisine miniature groupant des dizaines de pièces.

Cela servira de liaison à cette farce. Ajoutez un verre ou un demi-verre de vinaigre (suivant sa force) et deux verres de vin rouge.
Mélangez et versez l'ensemble tout bouillant sur le lièvre dans sa cocotte.
Joignez le sang du lièvre délayé dans un peu de vin.
Ajoutez huit à dix morceaux de sucre. Laissez cuire à petit feu pendant 5 à 6 h. Servez avec des petits croûtons frits.

ROGNONS BELLE GOURMANDE

Dans une sauteuse faites revenir des chipolatas au beurre, dès qu'elles sont dorées, retirez-les et mettez les rognons parés. Emincez des échalotes et des champignons, ajoutez-les aux rognons. Quand c'est bien chaud ajoutez de l'estragon. Laissez cuire. Déglacez avec du porto. Joignez les chipolatas. Finissez la cuisson. Servez entourés de purée et décorez de feuilles d'estragon.

Quelque chose de rigolo à faire avec les enfants :

POMMES DE TERRE

Travailler 500 g de madeleines ou de biscuits écrasés avec un gros morceau de beurre frais pour rendre la pâte molle.
On met quelques cuillerées de rhum, on ajoute un bâton de chocolat râpé et fondu à

La grotte aux cinq sens. Travail de Guy de Vendeuvre. La recette en est simple : une culture classique, un zeste de fantaisie, des ingrédients d'outre-mer, et beaucoup, beaucoup de travail.

quelques amandes grillées au four, roulez en donnant la forme d'une pomme de terre. Piquez avec un morceau de bois pointu pour imiter les yeux.

DIABLOTINS A LA NORMANDE

Faites fondre 40 g de beurre, mélangez une grosse cuillerée de farine et de crème de riz. Mouillez d'une tasse à thé de lait, salez, poivrez et faites bouillir en remuant. Cela doit être bien épais. Ajoutez 60 g de camembert bien gras débarrassé de sa croûte et coupé en dés. Quand le fromage est fondu, étalez

cette composition sur une plaque beurrée et farinée et donnez-lui une épaisseur très régulière de 2 cm. Laissez-la refroidir et coupez-la ensuite en morceaux comme des palets. Panez-les deux fois de suite en les trempant dans de l'œuf et de la panure et faites-les frire au dernier moment dans la friture brûlante. L'appareil doit être relevé de cayenne.

ROYAL AU CHOCOLAT

Faites fondre 150 g de beurre, placez-y trois tablettes de chocolat, lorsque le tout est fondu, retirez du feu et ajoutez en battant toujours quatre

cuillerées de sucre en poudre, trois jaunes d'œufs et les blancs battus en neige. Cuisez au bain-marie une demi-heure. Démoulez quand c'est froid. Servez avec de la crème fouettée ou crème anglaise autour.

ROYAL AUX POMMES

Prenez 500 g de marmelade de pommes reinettes. Ajoutez 500 g de sucre fin vanillé. Faites fondre quatre feuilles de gélatine blanche dans une tasse d'eau, mêlez à la marmelade qui doit être froide. Battez fortement et longtemps le mélange jusqu'à ce qu'il monte et soit mousseux. Versez dans un moule uni

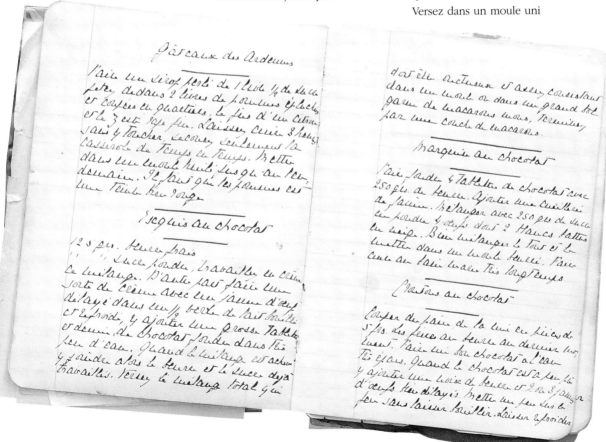

légèrement huilé ; laissez prendre jusqu'au lendemain. Videz le royal et jetez dessus une crème au rhum ou au kirsch.

DIPLOMATE NORMAND AU CALVADOS

Chaque année, madame de Vendeuvre distribue à ses visiteurs une recette ancienne de la maison. En voici une :
Faire dormir en cuisson, un demi-tour d'horloge, 1 kg de pommes de pays, épluchées et coupées en fins

morceaux avec deux noix de beurre frais, pour obtenir une marmelade.
Prendre un verre de calvados mouillé d'un verre d'eau ; y tremper sans tarder des biscuits et en tapisser au fur et à mesure le fond d'un vaisseau à charlotte.
Sur ce lit de biscuits, poser un lit de marmelade de pommes.
Recouvrir d'un lit de biscuits mouillés, puis d'un lit de gelée de framboises.
Tremper dans un verre d'eau 100 g de raisins de Malaga. En poudrer à son bon plaisir et remettre des lits successifs dans le même

ordre, jusqu'au bord du vaisseau. Terminer par un lit de biscuits de biscuits mouillés.
Laisser dormir la fraîcheur d'une nuit sous un chapeau alourdi pour tasser. Démouler et garnir de fruits confits à sa guise. Servir avec une crème à la vanille.

COURONNE DE POMMES EN BISCUIT AU CALVADOS

Une autre recette donnée à ses visiteurs par madame de Vendeuvre.

Diplomate normand au calvados.

Brisez trois œufs de poule entiers dans une jatte de faïence propre, versez deux mesures (deux tasses) de sucre concassé, ajoutez 100 g de beurre doux fondu et 100 g de lait fraîchement caillé (ou un yaourt), jetez en tamis deux mesures de fine farine. Battez vigoureusement ces éléments ensemencés de vanille en poussière (un paquet de sucre vanillé) et une pincée de levure (un demi-paquet de levure alsacienne) ; épluchez et émincez trois belles pommes et une poire de saison et joignez-les à la pâte. Mélangez doucement en arrosant de deux verres de calvados. Versez l'ensemble dans un vaisseau de cuivre en couronne, frotté de beurre. Laissez dormir en cuisson 45 min dans un four de grand feu.

soupe de vinaigre. Mettez à chauffer sur feu assez vif, en prenant soin d'humecter les bords de la casserole avec un chiffon humide (faire un petit bâton). Laissez cuire et vérifiez le sirop en y trempant votre chiffon en bâton. Le sirop est à point quand le sucre est transparent et se durcit dans l'eau.

Le glaçage : mettez le feu au minimum, et à l'aide d'une petite cuiller, trempez vos petits fours un à un dans le sirop. Agissez très rapidement et déposez-les sur une plaque très légèrement huilée ou sur un candissoire. Lorsqu'ils sont froids, détachez-les, coupez à l'aide d'un couteau le glaçage débordant et présentez-les dans des assiettes miniatures ou des papiers petits fours. Les proportions sont données pour 50 petits fours.

Ces petits fours nous sont présentés par un des services en miniature du château.

PETITS FOURS GLACES (NOIX, PRUNEAUX OU DATTES)

Préparation de la pâte d'amandes : trois quarts d'un bol de sucre cristallisé, 100 g de biscuits réduits en poudre, 100 g de poudre d'amandes, 100 g de beurre fondu avec un soupçon de lait. Faites trois boules de pâte (couleur naturelle pour les pruneaux, vert pour les noix et rose pour les dattes). Garnissez les fruits la veille du glaçage.

Préparation du sirop de glaçage : 400 g de sucre cristallisé à mélanger avec trois quarts d'un verre d'eau et une cuillerée à

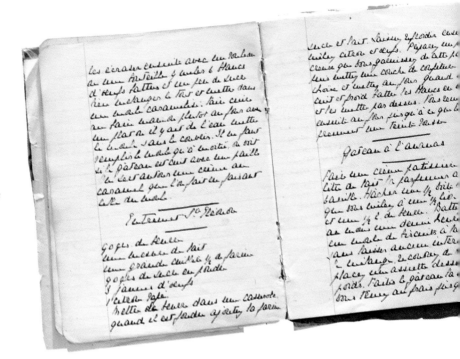

CHATEAU D'O

Ô châteaux…

François d'O, par Clouet.

Sur les douves, un gracieux nécessaire à pique-nique en porcelaine de Paris.

*L*e drame du courtisan, c'est la mort du prince ; peu d'hommes ont été de leur temps aussi haïs que François d'O, surintendant des finances de Henri III, « mignon du roi », mais aussi « peste de cour », « insecte de garde-robe », pour s'en tenir à des épithètes supportables dans un livre de cuisine ! On ne prête qu'aux riches, on a beaucoup prêté à François d'O, puis on l'a beaucoup accablé. Il faut dire que

Au flamboyant pavillon d'entrée, la façade arrière oppose l'image plus intime d'un château élancé et intégré dans un grand parc.

le personnage est singulier. Il serait né en 1535, mais la date est discutée avec une marge de quinze ans ! De vieille famille normande proche du roi, il commence par les armes, puis suit le frère du roi, Henri d'Anjou, élu, bien à contrecœur, roi de Pologne. Quand celui-ci revient pour succéder à son frère sous le nom de Henri III (et dernier roi des Valois), O touche les dividendes de son dévouement. C'est l'un des « mignons » du roi, compagnons de fêtes et de débauche, mais aussi argentier avisé, au service du trésor comme de sa bourse (confusion d'ailleurs normale à l'époque). Ses nombreuses conquêtes féminines, sa passion du jeu, son cynisme, sa cruauté parfois, déchaîneront les chroniqueurs dès qu'il sera tombé (on lui reprochera moins sa grande fortune que l'étalage qu'il en fit). En attendant, alternant grande faveur et petits froids de Henri, il mène grand train. Argentier du roi, il s'entend à faire rentrer les impôts, et se gagne de gros revenus comme membre du « parti du sel », qui affermait la perception de la gabelle. Le meilleur moyen de se rendre impopulaire ! Il joue aussi des rôles politiques éminents : le massacre de la Saint-Barthélemy, il n'y est pas… mais il n'est pas loin ; comme lors de l'assassinat du duc de Guise. Quand Henri III meurt assassiné en 1589, il réussit à se concilier le nouveau roi Henri IV, reste son surintendant des finances, et le presse de se convertir au catholicisme. Mais l'infortune ne tarde pas. Il meurt en 1594 « par où il avait pêché » après une opération qui déclenche les sarcasmes. Et il meurt couvert de dettes. Son successeur aux finances sera Sully, que l'histoire a bien mieux traité !

François d'O était aussi seigneur d'O, le dernier de sa lignée. La vérité oblige à dire qu'on ne connaît pas exactement la nature des travaux qu'il y fit, et qu'il n'y vécut guère. Mais, nous le disions, on ne prête qu'aux riches. Après tout, pourquoi pas ? Ce château à damiers, où alternent le blanc et le noir, où les matières jouent à cache-cache, où chaque façade propose un château différent, mérite bien un tel personnage !

O est une demeure fragile, avec la beauté poignante de celles qui ont souffert. Vendue en 1611 à Alexandre de La Guesle, plusieurs fois revendue depuis, elle a été tirée d'un pitoyable sort de colonie de vacances par la famille de Lacretelle, qui la restaure depuis vingt ans. Jacques de Lacretelle, de l'Académie française, avait acheté O en 1973. Il fallut reprendre tout le bâtiment, retrouver les belles fresques, remeubler le château, qui est aujourd'hui ouvert au public. On revoit les beaux plafonds peints du XVIIIe siècle où, sur fond de ciels travaillés, des oiseaux de proie s'attaquent depuis deux cents ans à des geais et des passereaux.

« Le Français sans larmes, c'est à table qu'on l'apprend. »
Jacques de Lacretelle, décédé en 1985 presque centenaire, était né dans le beau château familial de Cormatin en Bourgogne, construit à partir de 1605 dans un parc creusé de larges douves, au milieu du vignoble du Mâconnais. On y recevait beaucoup, des artistes et des écrivains, qui nourrirent l'imagination du futur académicien, couronné pour ses romans psychologiques.
Dans son Journal de bord, Lacretelle nous a donné une utilité de la bonne cuisine qui passe souvent inaperçue : « La gastronomie a grandement servi la propagation de notre langue à l'étranger. » En effet, « il y a chez nous une foule de spécialités reconnues, appréciées partout, y compris en Angleterre, dont l'appellation technique ou imagée est intraduisible dans une autre langue. Carême a fait école et il faut s'y soumettre. Veut-on des exemples ? En voici trois : petite marmite, bœuf à la mode, foie gras… ». Et il se félicite de ce que la France a quelques domaines spécialisés qui entretiennent son prestige et contraignent les pays étrangers à se soucier de sa langue. Voilà comment la cuisine et la langue sont liées !

Cette salle était décrite dans l'inventaire après la mort de François d'O. Salle des gardes située dans le pavillon d'entrée, elle faisait aussi office de cuisine, avec sa grande cheminée et son potager.

Pain d'épices.

PAIN D'EPICES

250 g de farine, 100 g de sucre en poudre, 150 g de miel, une demi-cuillerée à café de bicarbonate de sodium, un demi-paquet de levure chimique, une demi-tasse de thé très fort, une demi-cuillerée d'anis vert ou étoilé (réduit en poudre), un demi-verre de lait, une pincée de cannelle, une de gingembre, une de muscade. Mélangez tous les ingrédients en prenant soin de ne pas mettre en contact la levure et le bicarbonate de sodium. Malaxez bien jusqu'à obtention d'une pâte homogène, si besoin rajoutez un peu de thé. Laissez reposer la pâte pendant une demi-heure, versez ensuite dans un moule à cake. Enfournez à four doux (thermostat 3), pendant le temps qu'il faut. Vérifiez avec la pointe d'un couteau si la pâte est cuite à cœur. Démoulez et dégustez tiède ou froid.

POMMES DE TERRE SOUFFLEES

Dix pommes de terre moyennes, cinq œufs, trois cuillerées de crème fraîche, 150 g de gruyère râpé, une pincée de muscade, sel, poivre. Prenez des pommes de terre ovales de taille moyenne, lavez-les puis incisez la partie supérieure sur le pourtour sans détacher le couvercle. Mettez-les au four pendant environ 30 min (thermostat 6). Détachez ensuite le couvercle et creusez les pommes de terre en prenant soin de conserver les « coquilles » sans les percer. Récupérez la chair et faites-en une purée. Ajoutez à cette purée cinq œufs entiers, trois cuillerées de crème fraîche, du gruyère râpé et une pointe de muscade, salez, poivrez et remuez le tout pour obtenir une purée onctueuse. Remplissez ensuite les coquilles avec cet appareil, mettez dessus une noix de beurre et parsemez de gruyère râpé. Mettez au four chaud position gril pendant 15 min environ et servez en accompagnement avec une viande.

LA PETITE MARMITE D'O

Pour réaliser ce plat, il faut des poissons d'eau douce vivants (ou en tout cas très frais) tels que carpes, brochets, anguilles, perches…

Salle à manger, décorée dans le style Empire.

Les douves du château d'O renferment une troublante évocation d'une vie de cour telle que dut la connaître François d'O : de nombreux poissons blancs y nagent en groupes, ainsi que des carpes de belle taille. Et, éparpillés parmi ce fretin sans défense, de gros brochets, redoutables prédateurs, arpentent (si l'on nous accorde cette expression) leur garde-manger !

Prenez, donc, ce que vous aurez pu pêcher. Nettoyez-les et ne les lavez pas ensuite. Coupez les poissons en morceaux, mettez-les dans une grosse marmite avec du sel, du poivre, un bouquet garni, quelques gousses d'ail, quelques morceaux de lard coupés en dés et blanchis au préalable, et quelques petits oignons grelots.

Versez du vin blanc acide de quantité suffisante pour que le poisson soit bien recouvert. Faites mijoter une petite demi-heure, à feu doux.

Réservez le poisson au chaud, récupérez le jus de cuisson. Faites un roux que vous mouillerez avec ce jus de cuisson du poisson. Salez, poivrez. Ajoutez quelques cuillerées de crème fraîche et laissez cuire 5 min. Dressez les poissons sur un plat. Nappez de sauce. Servez avec des croûtons frottés à l'ail et frits au beurre.

BŒUF A LA MODE

Prenez un bon morceau de bœuf dans la culotte (gîte, tranche, mouvant…).

Les pommes de terre soufflées.

Foncez une cocotte avec des bardes de lard, placez-y des oignons en rouelles, des carottes coupées en rondelles, puis le morceau de viande. Ajoutez un pied de veau fondu, arrosez le tout avec un bouillon chaud et 20 cl de vin blanc (mâcon). Salez, poivrez, bouquet garni, et fermez hermétiquement.

Dès que l'ébullition a commencé, réduisez au minimum le feu, et comptez 3 h de cuisson. Il est important de tenir le feu très doux.

Pour servir, coupez le bœuf en jolies tranches, entourez des carottes et oignons. Passez le fond de braisage au chinois et versez-le sur le plat. Vous pouvez aussi mettre le tout dans une terrine, verser le jus de cuisson et mettre au frais pour le consommer froid. Dans ce cas, vous prendrez deux pieds de veau au lieu d'un, pour avoir plus de gélatine.

Dans l'entrée du château, un beau poêle de Strasbourg du XVIIIe siècle.

FONTAINE-ETOUPEFOUR

Re-naissance

———◆———

Fontaine-Etoupefour, encore intact au XIXᵉ siècle.

*D*ans la Normandie meurtrie par les guerres, bien des villages ont disparu. Et bien des châteaux. Sans l'acharnement du comte et de la comtesse Henry du Laz, Fontaine-Etoupefour ne serait plus qu'un souvenir.

Un mois après le débarquement allié du 6 juin 1944, les Allemands tenaient une position qui devait rester dans l'histoire comme étant la cote 112. La cave de Fontaine-Etoupefour en abritait le poste de commandement, les communs les défenses, et les alentours étaient truffés de trous tenus par les Hitlerjungend, combattants fanatiques — et pauvres enfants kamikazes. Les Alliés bombardent le château le 4 juillet, mais les Allemands le reprennent. Caen est libéré le 10 juillet. Ce jour-là, 45 000 obus tombent autour du château. Les Allemands abandonnent leurs blessés dans les caves. Au soir du 11 juillet, les Alliés ont perdu 2000 hommes. Fontaine-Etoupefour, petit château de plaine, reste au cœur des combats, qui finiront par la fuite des Allemands vers Falaise, cul-de-sac d'où ils ne s'échapperont pas.

Plus tard, en nettoyant les douves, on retrouvera des armes des deux parties, quatre cents obus, mais aussi des débris tombés du château et des souvenirs des temps anciens. On peut les voir aujourd'hui dans le beau bâtiment d'orangerie où Henry du Laz accueille des anciens combattants de ces journées douloureuses.

Cette guerre fut le point final des affronts infligés à une vieille seigneurie tenue dans la même famille depuis 1538. Le nom de Fontaine-Etoupefour, qui est aussi celui du village, rappelle probablement l'existence de fours à étoupe : on sait qu'il y avait un moulin fou-

La poterne de Fontaine-Etoupefour constitue aujourd'hui l'habitation. Tout en hauteur — encore accentuée par la suite des tourelles cylindriques, puis octogonales, et de clochetons coniques —, elle date de la fin du XVᵉ siècle. Rien de plus gracieux que cette construction étroite accrochée au bord de larges douves.

lon sur le territoire du château, à côté de jardins et de vergers qui ont disparu. La fille de Tanneguy Le Vallois, seigneur de Fontaine-Etoupefour, apporta en 1682 le château à son mari Pierre, chevalier et baron de Blangy. La famille Le Viconte de Blangy a une très vieille notoriété : elle est issue de Rioulf, compagnon de Rollon, premier duc de Normandie. Girard Le Viconte faisait partie des défenseurs du Mont-Saint-Michel contre l'Angleterre en 1427, et la devise de la famille le rappelle : « Eternelle sera la vertu de ses exploits ». Grâce aux pièces d'un procès de 1671, on a une idée très précise de l'état du château : l'îlot était fortifié de murs et sur un côté de grands communs qui ont disparu. Derrière, le potager ne couvrait pas moins de 7 hectares ! Le château est daté de 1583. Sans être très grand, il était d'une construction très soignée, surmonté de belles lucarnes Renaissance. La poterne devenue sans objet, on y accédait par un pont dormant toujours conservé.

Au début du siècle, le château est bien plus délabré. Un incendie le prive de sa toiture. Puis arrive la guerre. La poterne a survécu aux bombardements de la Libération. Mais elle y avait perdu son fronton, qu'on a remplacé par une réplique simple. Le fronton d'origine a depuis été retrouvé dans les douves, et reconstitué à l'entrée du pont-levis. Il représente une Annonciation, ce qui conforte l'hypothèse d'une chapelle castrale autrefois sise au-dessus du porche. Henry du Laz a repris la propriété de sa tante Blangy et, après avoir aménagé cette poterne, s'est attaqué à la consolidation du château. Et un jour, sans doute, viendra la reconstruction de ce bijou.

L'intérieur est tout petit, et il a fallu des prodiges d'aménagement pour le rendre aussi agréable. La salle à manger est unique : elle a pris place dans le porche, derrière une herse, heureusement vitrée !

Un carton à tapisserie qui a pris place dans le salon. On a beaucoup chassé dans la famille, et les murs de la salle à manger présentent des trophées de cerfs, biches et sangliers.

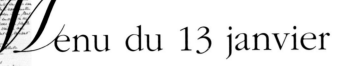

Menu du 13 janvier

Terrine de poisson et salade de mâche
Poulet au camembert
Fromages
Galette anglaise, crème anglaise

Vin d'Alsace
Vin de Bordeaux
Champagne Vallois, en souvenir de la famille fondatrice

POULET AU CAMEMBERT

C'est une recette du château tout proche de Juvigny, autre propriété de famille, où a été élevé Henry du Laz. La cuisinière s'appelait Céline Leroty ; un nom prédestiné aux bonnes cuissons. Elle faisait aussi d'excellentes profiteroles au chocolat.

Choisissez un beau poulet de ferme, et optez pour un très bon camembert, comme la Normandie sait nous en offrir.

Préchauffez le four, enlevez la croûte du camembert et découpez-le en petits morceaux, farcissez-en l'intérieur du poulet avec un peu d'estragon, du sel et du poivre, fermez le poulet succinctement avec de la ficelle de cuisine.

Saupoudrez d'un peu de curry la peau de la volaille, que vous déposez dans un plat avec un demi-verre d'eau dans le fond. Enfournez et laissez cuire à four chaud pendant 45 min environ. Vérifiez la cuisson en plongeant la pointe d'un couteau dans le poulet, si la pointe est brûlante c'est que le poulet est cuit. Faites chauffer au beurre des salsifis et des champignons émincés, aillez le tout, salez et poivrez. Sortez votre poulet et laissez-le se détendre avant de le découper. La cuisson aura rendu une sauce onctueuse grâce au camembert qui aura fondu et se

sera écoulé lentement.
Découpez le poulet, servez la
sauce en saucière et les légumes
seront dressés avec les morceaux
de poulet. Bon appétit. Nous
avons adoré ce plat. Camille et
Alice, les petites-filles de
monsieur et madame du Laz,
aussi… jusqu'à ce qu'on leur
apprenne ce qu'il y avait dedans !

LA GALETTE ANGLAISE

(recette de famille de madame
Eloffe, mère de madame du Laz)
« Cette galette ressemble un
peu aux sablés bretons mais
plus épaisse. »
Mélangez 125 g de sucre avec un
œuf entier et 125 g de beurre
ramolli puis en dernier 250 g de
farine. Malaxez à la fourchette.
Ça fait une pâte très molle.
Etalez dans un moule à tarte
beurré et fariné à l'avance et tassez bien avec un verre à fond
plat fariné.
Quadrillez avec une fourchette
trempée dans la farine à chaque
fois, sinon ça arrache la pâte.
Mettez à cuire à four chaud pendant un quart d'heure, et découpez-la chaude ou tiède, elle se
découpera mieux.
Elle peut se conserver dans une
boîte en fer ou en plastique.
On la sert avec une crème
anglaise : faites bouillir 50 cl de
lait avec une demi-gousse de
vanille égrénée. Faites blanchir
dans un saladier quatre jaunes
d'œufs et 80 g de sucre. Versez
le lait chaud sans la vanille sur
ce mélange en remuant

Galette anglaise.

constamment à la cuiller en bois.
Remettez sur le feu et faites
épaissir, cela ne doit pas bouillir.
Servez en saucière (ici, en
porcelaine de Paris).

PAIN DE THON

*de madame Eloffe, bon
souvenir d'enfance
de madame du Laz*

Hachez une grosse boîte de thon
à la moulinette. Faites une sauce
Béchamel très épaisse, mélangez
le tout avec un œuf entier bien

battu salé et poivré. Déposez
dans un moule en couronne et
faites cuire au bain-marie
doucement en vérifiant la cuisson
avec un couteau. Préparez un
coulis de tomates.
Démoulez, laissez refroidir et
servez avec le coulis de tomates
au centre.

LAPIN A LA MOUTARDE

Pour un lapin de 1 kg coupé en
morceaux, battez 180 g environ
de fromage blanc en incorporant

peu à peu trois cuillerées à soupe de Maïzena et de la moutarde forte de la quantité que vous voudrez, selon que vous aimez plus ou moins la moutarde. Enduisez de ce mélange les morceaux de lapin. Disposez une feuille d'aluminium dans le fond d'un plat à four, placez les morceaux de lapin, saupoudrez de feuilles de thym, salez et poivrez. Recouvrez d'une autre feuille d'aluminium. Mettez à cuire à four chaud pendant 50 à 60 min.

MALAKOFF

Ce dessert est donné par la famille de la sœur de madame du Laz ; il vaut mieux être deux pour le réaliser : montez six blancs d'œufs en neige très ferme, très dure, qu'une cuiller tienne dedans. Puis ajoutez une cuillerée à soupe bombée de sucre par blanc, six donc, mélangez en aérant mais sans tourner. Faites un caramel avec six cuillerées de sucre bombées et un peu d'eau, très très peu, le

Une vieille chocolatière et son agitateur. Le couvercle est muni d'un trou pour passer ce petit bâton.

« La montagne de Vilard marchand en sa maison à Vilard et Jean ? qui luy donné de la poterie de Balleroy », peut-on lire sur cette cruche à calvados de Balleroy. Comme des centaines de bouteilles très anciennes, elle a été retrouvée dans les douves du château.

caramel doit être dur. Et c'est là qu'il faut être deux, rapides et habiles : versez ce caramel brûlant en tournant très fort ; une tourne, l'autre tient le récipient. Mettez dans un moule lisse, et huilé, dans un endroit frais mais pas glacé. Le lendemain, démoulez et servez avec une crème anglaise et « ça flotte ».

CHARLOTTE AUX AMANDES

100 g de beurre ramolli, 100 g de sucre, 100 g d'amandes en poudre, 100 g de crème fraîche Mélangez de façon homogène ces quatre ingrédients. Tapissez un moule de biscuits à la cuiller auparavant trempés dans un sirop épais. Remplissez en

couches successives de crème aux amandes et de biscuits, finissez par les biscuits, mettez au frais.

Le goût de la cuisine n'attend pas le nombre des années. Cadeau de mariage de madame du Laz, ces recettes illustrées par un jeune neveu, Philippe Roudié, devenu aujourd'hui un spécialiste des vins de Bordeaux.

Le comte et la comtesse Henry du Laz dans leur salle à manger extraordinaire, aménagée dans le porche de la poterne.

LE CHAMP-VERSANT

Un manoir en Auge

Le manoir du Champ-Versant tire son nom de sa position, sur un plateau qui partage les bassins de la Dives et de la Touques. Le soubassement est fait de grès et silex, qui interdisent la remontée de l'humidité, et supportent l'ossature de chêne. A l'exception de deux poteaux corniers qu'il a fallu changer, les colombages ont quatre siècles. La porte est surmontée d'une accolade gracieuse portant des écussons. La maison est chevillée, légère mais solide. A l'arrière, deux tourelles lui donnent son aspect seigneurial.

La mare est indissociable du manoir augeron. Celle-ci a gardé son lavoir à plancher flottant, que l'on règle par les deux crémaillères.

oici sans doute l'image la plus emblématique de la Normandie : un petit manoir à colombages, des bâtiments semés comme au hasard dans les prés et des pommiers épars. Le pays d'Auge a su garder sa fraîcheur. A cheval sur le Calvados et l'Eure, s'étendant au sud dans l'Orne, ce terroir de tradition sent bon la crème grasse et le cidre doux. Les manoirs, très nombreux, y sont éparpillés dans le bocage fertile où l'eau affleure partout. On pense d'ailleurs que le mot « Auge » dérive d'un terme germanique désignant les marais. Mais ces marais-ci sont bien aimables et petits. Le terroir est délimité au nord par la Manche, à l'est par la Touques et à l'ouest par la Dives. Les autres rivières qui entaillent ses plateaux ont pour jolis noms la Vie, la Colonne et l'Orbiquet.

Trois villages sont célèbres : Camembert, Livarot et Pont-l'Evêque, la trilogie des fromages à pâte molle et au goût puissant. Mais partout en pays d'Auge on produit de la bonne viande de race normande, du beurre et de la crème goûteux et parfumés.

Le manoir du Champ-Versant fut construit vers 1560, sans doute sur une maison forte antérieure, et entouré de ses dépendances : pressoir, caves, granges, étables, écuries, bergerie, boulangerie, bouillerie… Il était à l'origine entouré de douves, comblées depuis.

La première famille connue est celle des d'Hesbert, cités en Normandie au XVᵉ siècle. Puis le Champ-Versant appartint aux Bazin de Sainte-Honorine et aux d'Arembure jusqu'en 1792. Saisi, vendu comme bien national à des Havrais, le manoir, et les terres qui l'entourent, fut racheté en 1893 par monsieur Defresne. Monsieur Letrésor est son descendant direct. Le cadastre n'a pas changé, le plateau est cultivé principalement en céréales, et s'il pleut parfois, ce n'est que bénédiction : de l'eau surgit cette herbe grasse qui réussit si bien aux bœufs à l'embouche et aux chevaux de course.

Il y a vingt ans, on décida de démolir les dix cheminées Napoléon III du manoir. On trouva, derrière, dix cheminées XVIIIᵉ. Et, derrière celles-là, les dix cheminées monumentales en pierre que l'on admire aujourd'hui. Elles ont redonné au Champ-Versant l'atmosphère d'autrefois.

La cuisine de Marie-Thérèse Letrésor est celle de son terroir généreux. Les carnets de sa grand-mère nous ont charmés par leur qualité et leur fraîcheur.

Les poules de Crèvecœur aussi ont droit à leur maison normande.

POULE AU BLANC

Une poule de Crèvecœur de 1,5 kg, du sel, du poivre, trois clous de girofle, deux oignons, six carottes, trois poireaux, un céleri en branche, un bouquet garni, de la crème fraîche et des salsifis.

Placez la poule dans un faitout, recouverte d'eau froide et amenée à ébullition doucement. Salez. Ajoutez autour de la poule les divers légumes et bouquet garni. Faites reprendre l'ébullition et laisser mijoter 1 h 30. Prélevez 1 l de bouillon pour cuire à part les salsifis et poêlez quelques champignons au beurre. Découpez la poule et disposez les morceaux sur un plat chaud de service. Répartissez tous les légumes bien égouttés tout autour.

Chauffez la crème, ajoutez les champignons revenus au beurre. Servez la crème en saucière après avoir mis quelques cuillerées sur les morceaux de poule.

TEURGOULE

2 l de lait, quarante morceaux de sucre, un verre de riz ou 125 g, un peu de cannelle ou non, tout dépend des goûts. C'est tout et faites cuire au four à feu très doux pendant 4 h environ.

Les recettes du carnet de la grand-mère de madame Letresor

Un vieux recueil manuscrit qui mêle cuisine et soins du corps.

BOUCHEES AUX CREVETTES

Epluchez un quart de crevettes grises et roses mélangées. Faites fondre sur le feu 25 g de beurre que vous maniez avec une bonne cuillerée de farine. Eclaircissez avec un peu de bouillon et liez avec un jaune d'œuf. Ajoutez les queues de crevettes et garnissez-en de petites bouchées feuilletées que vous pouvez vous procurer chez tous les pâtissiers.

Note : faites chauffer le tout à four très chaud pendant 5 min avant de servir.

La poule au blanc.

Remède merveilleux pour les clous et les abcès

Une forte cuillerée d'huile d'olive
Une bonne cuillerée de miel brun de Bretagne
Un jaune d'œuf
Mêlez avec une cuiller en bois, en ajoutant peu à peu de la farine de sarrasin jusqu'à consistance de pommade et mettez sur l'abcès ; renouvelez deux ou trois fois par jour.

Remède pour les brûlures

Trois cuillerées d'huile d'olive
Un œuf entier blanc et jaune
Bien mélanger ce dernier avec l'huile, ajouter douze gouttes de laudanum, vingt-quatre d'alcali ; opérer également le mélange des liquides réunis. Placer cet onguent dans un vase hermétiquement fermé ; passer avec une plume sur un papier de soie qu'on applique sur la brûlure ; graisser plusieurs fois par jour sur l'extérieur en ayant soin de ne pas enlever le papier qui tombe seul lorsque la guérison est complète.

SOLE NORMANDE

Voici une sole normande originale : sans crème !

Ce plat peut être fait en employant uniquement les filets de soles de moyenne grosseur ou avec de grosses soles entières. Après avoir dépouillé le poisson, on le range sur un plat beurré allant au feu et on mouille avec moitié vin blanc et moitié cuisson de champignons. Faire cuire à four doux, en recouvrant d'un papier beurré. Une fois la cuisson terminée, dresser la sole sur le plat et l'entourer de moules cuites, d'huîtres blanchies et de champignons également cuits, et tenir le plat au chaud. Faire réduire aux trois quarts le jus de cuisson des soles et y ajouter un léger roux. Beurrer la sauce hors du feu et la relever avec une pointe de cayenne. Saucer les soles. Garnir le plat de quelques écrevisses cuites au court-bouillon et de petits croûtons dorés au beurre.

ILE D'AMOUR

Battre en neige très ferme huit blancs d'œufs ; ajouter 15 g de sucre en poudre et des fruits confits : écorces d'orange, de citron, de cédrat, d'angélique coupées en julienne, des cerises entières, des pâtes d'abricot, de framboises taillées en dés.
Verser le tout en tassant bien dans un moule uni, enduit de caramel, et faire cuire au bain-marie pendant 1 h 30 environ. Démouler et servir sur une bonne crème à la vanille pas trop épaisse. Le gâteau, très léger, doit flotter à la surface.

GELEE DE POMMES INFAILLIBLE

Elle se fait fin septembre ou en octobre avec des fruits non encore bien mûrs. Les fruits tombés donnent un bon résultat. Coupez les pommes en quartiers

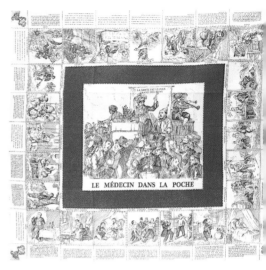

Le médecin dans la poche
« Au centre du mouchoir, reproduction d'une scène évoquant l'action d'un médecin ambulant dans une foire. En bordure de ce mouchoir, 24 vignettes dans lesquelles sont indiquées les manières de soigner divers maux : brûlures, entorses et foulures, panaris et indigestions… Le document original a été gravé par Buquet vers 1875 à Rouen. »

La teurgoule.

Gelée de pommes infaillible.

Les colombages permettent toutes les fantaisies décoratives : briques en mosaïque, petits tuileaux, damiers…

(ce qui permet de vérifier celles qui sont véreuses, dans ce cas on enlève le morceau contaminé). Il ne faut surtout pas enlever la pelure de la pomme. Passez le tout vivement à l'eau fraîche, puis déposez les quartiers dans une marmite sans odeur en émail ou en cuivre ; recouvrez les pommes d'eau et faites bouillir 1 h 45, puis versez le tout sur un tamis sans presser ou sur une étamine que l'on suspend au-dessus d'un récipient assez grand pour laisser égoutter le jus pendant 12 h.

La grand-mère de madame Letrésor prenait deux chaises et des sacs de sucre en guise de poids, les pommes dans un torchon, au-dessus d'une bassine, et laissait le tout s'écouler une nuit.

Ensuite, on mesure le jus, et on met du sucre à raison de 500 g par litre ; on fait bouillir pendant 25 min en écumant constamment, puis on met en pots ; au bout de quelques jours la gelée est bien prise, on la couvre alors comme les confitures ordinaires ; les fruits colorés donnent une couleur rosée magnifique.

Madame Letrésor fait pour 2 l de jus un sirop : 3 verres d'eau, 1,5 kg de sucre et dit : « Pour qu'une gelée soit bien réussie, il faut pouvoir lire son journal au travers. »

POIRES A LA BONNE FEMME

Lavez sans les peler les poires à l'eau froide ; puis mettez-les dans une terrine avec 50 cl d'eau, un petit morceau de cannelle, une douzaine de morceaux de sucre, fermez hermétiquement la terrine et faites cuire à l'étouffée à très petit feu. Lorsque les poires sont à la moitié de leur cuisson, mouillez avec un verre de bon vin rouge ; quand elles sont cuites, ce vin doit être presque entièrement réduit.

Dressez alors les poires dans un plat demi-creux ou un compotier et détachez avec une cuillerée d'eau le jus de la terrine sur les poires. Servez à volonté, chaud ou froid.

Sur ce coffre de voyage du XVIe siècle (il comporte des poignées sur les côtés), des ustensiles en pré d'Auge, que l'on fabriquait dès le XIVe siècle : passoire à fromage blanc, lèchefrite, pichet à cidre. Et de vieux carreaux dont l'un est aux armes des d'Hesbert.

TERRINE A LA PAYSANNE

Ce plat est peu coûteux et très apprécié.

Coupez du bœuf bien maigre, persil et ciboule hachés, une feuille de laurier et un clou de girofle, quelques petits oignons et rouelles de carottes, sel et poivre. Disposez dans une terrine allant au four une couche de bœuf, une de petit lard, et assaisonnez, et ainsi de suite ; à la fin une cuillerée de calvados étendue de deux cuillerées d'eau. Bien boucher la terrine et faire cuire 5 à 6 h au four, selon la quantité, ceci avec le bœuf de la veille.

POULET SAUTE A LA CREME

Découpez un poulet en morceaux que vous faites revenir dans du beurre ; lorsqu'il est bien revenu, vous modérez le feu et ajoutez un peu d'eau afin d'empêcher le poulet d'attacher. Salez, poivrez. Lorsqu'il est cuit, vous mettez dans le plat environ pour 50 centimes de crème épaisse et vous la tournez avec une ou deux cuillerées de la sauce du poulet. Ajoutez des herbes finement hachées. Versez sur le tout et mettez à réchauffer doucement sur un coin du fourneau.

L'intérieur du Champ-Versant est très typique de ces petits manoirs qui se comptent par dizaines : étroits, car leur largeur est fonction de la taille des sommiers qui joignent les deux façades ; composés souvent de deux pièces séparées par le vestibule, ici orné d'une porte à pilastres ioniques et feuilles d'acanthe ; et garnis de cheminées massives à chaque pignon.

ESCALOPES DE VEAU AUX MORILLES A LA CREME

On dit en Normandie que, pour être fort, il faut manger du veau à l'Ascension. Préparons donc ces escalopes ce jour-là. Quant aux morilles, on en trouve par ici, car elles y trouvent le calcaire qu'elles affectionnent. Une escalope par personne. Faites saisir les escalopes sur les deux faces, dans de l'huile et du beurre, qu'elles soient bien dorées, poivrez et laissez cuire 5 min, salez. Passez les morilles à l'eau courante pour enlever les grains de sable et la poussière. Otez les escalopes, réservez-les au chaud. Jetez la graisse et ajoutez un peu d'eau dans la poêle sur le feu. Ajoutez les morilles et de la crème fraîche, salez, poivrez. Remettez les escalopes et laissez cuire à petit feu encore 10 min.

CONFITURE DE CITROUILLE ET DE POMMES

Une citrouille de 1 kg coupée en dés, cinq pommes de Rambault (une variété du pays d'Auge, très acide), 600 g de sucre pour le mélange ci-dessus. Laisser macérer toute la nuit, ça rend beaucoup d'eau. Cuire doucement en soupière 50 à 60 min et mettre en pots.

Le Trou normand

Ce serait comme un grand banquet où chacun de nos châteaux serait un plat, avec ses saveurs et ses épices. Un grand banquet normand, où l'on marquerait cette pause si propice à la digestion des mets ingurgités et des idées échangées : le trou normand. Le Robert date l'expression de 1867. Et, de fait, le trou normand n'apparaît pas dans le repas de mariage de madame Bovary, dix ans auparavant : « C'était sous le hangar de la charretterie que la table était dressée. Il y avait dessus quatre aloyaux, six fricassées de poulets, du veau à la casserole, trois gigots, et, au milieu, un joli cochon de lait rôti, flanqué de quatre andouilles à l'oseille. Aux angles, se dressait l'eau-de-vie dans des carafes. Le cidre doux en bouteilles poussait sa mousse épaisse autour des bouchons, et tous les verres, d'avance, avaient été remplis de vin jusqu'au bord. De grands plats de crème jaune, qui flottaient d'eux-mêmes au moindre choc de la table, présentaient, dessinés sur leur surface unie, les chiffres des nouveaux époux en arabesques de nonpareille [...] » mais l'eau-de-vie, surtout bue cul sec, y a déjà ses vertus digestives. On ne sirote pas : on avale, et on parle. Nous avons à ce banquet quelques convives de haute tenue, tous amoureux de leur province, parfois tendres et souvent cruels. Ils sont connus : Flaubert, Maupassant, Allais... ils sont indécrottablement normands de cœur et de caractère. Ils ont de l'appétit, mais savent que la table est un lieu — important — de la scène de la société.

Mais le premier orateur sera Jehan Le Hir, regretté fondateur de la « Tripe d'or ». Lyrique, il nous conte en vers du pays l'aventure qu'est la recette du caneton à la rouennaise, si emblématique de la Normandie [1] :

« Étouffant l'animal
Gras et tendre à souhait
Maître sans plus tarder
L'embroche et sur ce pal
Devant un feu flambant
Le fait tourner, tourner...
Puis sur un plat glissé à l'aise
Lève les aiguillettes vivement
Mets les cuisses sur la braise
La carcasse hachée
Sera mise sous presse
De Cognac arrosée
En brûlante caresse
Ensuite d'un vieux vin
Pommard ou Chambertin
Sous les juteux filets
La piquante échalote, les épices,
Odorats chatouillés
Hument déjà les prépices
Car il faut que la sauce riche de ce salmis
Soit liée juste à point
Par le beurre qu'il a mis
Le remuant sur la flamme en toute diligence
Maître assaisonne ce mets, un mets plein...
d'éloquence
Et de ce plat des dieux nous fait ainsi l'offrande
Du Caneton rouennais, spécialité normande. »

1) Ce poème a été publié dans le numéro de janvier 1991 de « Pays d'Auge »,
mensuel s'attachant à la sauvegarde du patrimoine de ce pays.

De la bibliothèque
du château de Sassy.
L'architecture gastronomique de Jules Gouffé.

Nos bons vivants applaudissent le maître queux. Et l'on crie : « Gustave ! Raconte-nous encore la Boucharine ! »

Et, comme à chaque repas, Gustave Flaubert récite la recette ineffable qui eût dû faire la fortune de Bouvard et Pécuchet, ses deux héros dérisoires, apprentis gentlemen-farmers quelque part entre Caen et Falaise. Ils avaient eu l'idée géniale d'une crème qui détrônerait la bénédictine : la « Boucharine », liqueur contenant de la coriandre, du kirsch, de l'hysope, de l'ombrette, du colamus aromaticus, et colorée en rouge de bois de santal ! Las ! « L'alambic explosa en vingt morceaux, d'autant que la cucurbite se trouvait boulonnée au chapiteau. »

Et tous de se tenir les côtes à cette histoire cent fois répétée.

« Allez, j'installe ma bécasse ! » C'est Guy de Maupassant qui parle maintenant. Car on a mangé des bécasses. Et, reprenant le rite qui ouvre ses Contes de la bécasse, il fixe l'une des têtes sur un bouchon, et le bouchon sur un tourniquet, et le sort désignera l'heureux gagnant de toutes les têtes des bécasses, qui sont un régal de chasseur, son tribut bien léger étant de raconter une piquante histoire. La tête tourne, puis s'immobilise, le bec pointant vers le fils du pharmacien de Honfleur, Alphonse Allais, en compagnie de qui on s'ennuie rarement. Allais est prodigue en histoires courtes. Comme celle du canard qui avait mangé les petits pois « qu'on devait lui mettre avec ». Ou celle du vieux marquis à qui l'on fit manger sa collection de haricots. Ou encore la découverte des carrières de charcuterie (« le porc, cet utile auxiliaire du charcutier »)… C'est un franc succès. Il conclut par une recette de cuisine de son cru :

Au siècle dernier, on offrait aux jeunes mariés normands ces gobelets émaillés de formules amicales ou ironiques. Collections du manoir de Saussey.

« Tout d'abord pigeons,	*Du jus des oignons !*
Sept ou huit pigeons !	*Puis, enfin, bondons*
Aux doux veaux rognons	*Vous de gras bondons !*
Leurs tendres rognons,	*Les vins ? Avalons*
Qu'alors nous oignons	*D'exquis Avallons ! »*

(Bravo, bravo). Une autre, une autre !
Alors Allais raconte l'histoire de cette cuisinière débutante qui suit au pied de la lettre la recette du livre de cuisine tout neuf que son petit mari lui a offert :

« Soufflé d'abricot.

Battez six blancs d'œufs en neige très ferme, ajoutez six cuillerées de confiture d'abricot de manière à faire une purée, prenez des harengs laités dont vous enlevez la laitance… » Je vous laisse imaginer la suite à la table familiale !

« La pauvre petite femme avait oublié de couper les feuilles du livre. »

Maupassant conte ensuite quelques histoires lestes du pays de Caux, et Flaubert réclame des épinards. Pourquoi des épinards ? « C'est le balai de l'estomac ! » On reconnaît bien là son Dictionnaire des idées reçues. Mais il est temps de reprendre le parcours. Saluons donc cette joyeuse assemblée qui prouve, si besoin était, que les Normands ne sont pas les « taiseux » que l'on dit.

Le rite de la bécasse rapporté par Guy de Maupassant. Car il n'y a pas de bon repas sans bonnes histoires. Et les Normands y sont des maîtres.

SASSY

Sous le regard de Vatel

Chantal sonne le déjeuner, depuis la cuisine privée de Sassy.

*P*armi les vieux livres de chasse, le dictionnaire de Moreri et d'innombrables vies de saints, les Mémoires du chancelier Pasquier sont un attribut de toute bonne bibliothèque de château. Celle de Sassy, qu'on appelle ici le « cabinet de travail », renferme tout ce qu'un honnête homme du XIXe siècle se devait de savoir. A vue de nez, 10 000 volumes, la plupart reliés aux armes, englobant tous les sujets : théologie, sciences politiques, sciences naturelles, littératures, beaux-arts… que des index permettent de retrouver dans les deux étages de travées.

Etienne-Denis Pasquier, d'une famille de noblesse de robe de Paris, fut une figure du second Empire. Son père, l'un des avocats de Louis XVI, avait été guillotiné en 1794, et lui-même emprisonné. Plus tard, il fut conseiller d'Etat, souvent ministre, président de la Chambre des députés, président de la Chambre des pairs, duc créé par Louis-Philippe, et académicien. Une vie publique menée tambour battant. A la mort du duc Pasquier à 97 ans, en 1862, le titre passa à un petit-neveu qu'il avait adopté, Edme-Armand-Gaston d'Audiffret, fille d'une nièce Pasquier. Les Audiffret sont une vieille famille d'Italie, puis de Provence, dont l'écusson se trouve dans la salle des croisés à Versailles. Denys, duc d'Audiffret-Pasquier et propriétaire du château de Sassy, est son arrière-petit-fils. Avec la duchesse, née de Lastic Saint-Jal, il continue à entretenir le grand domaine forestier et agricole qui s'étend autour du château. On présente souvent Sassy comme un château imposant, voire distant. Mais c'est qu'on ne l'a vu que d'en bas, les jardins à la française écrasés, et lui planté au haut de ses gradins, en majesté, dominant la campagne de sa façade nord. C'est de la cour intérieure seulement qu'on peut le comprendre : au carrefour d'allées forestières, où l'on trouve d'énormes pins laricio, il devient une belle demeure d'habitation dont une aile en retour récente rompt la symétrie.

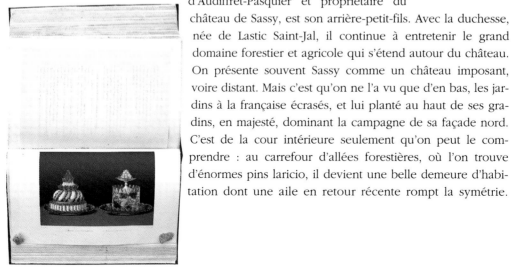

Jules Gouffé (1807-1877 *disciple de Carême, fut* *des grands cuisiniers du* *XIXe siècle, qu'on a* *surnommé « l'apôtre* *de la cuisine décorative* *De la cuisine comme* *un des beaux-arts…*

Et, signe qui ne trompe pas, les chiens de la maison sont aimables.
A droite, le pavillon XIXᵉ abrite derrière de fausses fenêtres le trésor
de la bibliothèque. Le château est l'ordonnateur et le réceptacle de
son domaine de 1000 hectares, moitié en bois, moitié en terres. Il
n'est pas très vieux : commencé en 1760, il fut terminé par le chancelier Pasquier qui l'avait acheté en 1850, puis orné de son aile en
équerre et du jardin à la française, qui ne se voit bien que depuis le
château. Celui-ci est étroit, presque transparent. L'intérieur est ration-

nel et chaleureux. Les deux salons sont ornés de
tapisseries dont la plus belle, des Gobelins,
représente Louis XIV et la reine sur fond du
château de Saint-Germain. On y trouve aussi
de beaux tableaux et des souvenirs historiques. La cuisine du sous-sol est un petit
empire.

J'ai relevé dans la bibliothèque de Sassy
quelques années du grand livre de chasse
tenu ponctuellement. Ce sont les tableaux de
Denis d'Audiffret-Pasquier, décédé en 1904.
En quinze ans (et même quatorze, car on ne
chassa pas en 1870), 3032 pièces de gibier
naturel, essentiellement lapins, cailles, grives,
perdrix, et quelques espèces qu'on ne tire
plus. Pas étonnant que la cuisine soit si
grande !

Les recettes du comte Lastic-Jal

La bibliothèque de Sassy se prolonge dans ses
cuisines. Nous y avons trouvé plusieurs
ouvrages, et notamment ce *Cuisine usuelle,
recettes culinaires, remèdes pratiques*, du
comte Lastic Saint-Jal, grand-père de madame
d'Audiffret, duquel sont extraites ces quelques
recettes de gibier et d'autres quadrupèdes.

Gigot de chevreuil

« Pour manger du bon chevreuil, il faut le tuer au
fusil ; le chevreuil forcé qui meurt d'apoplexie
prend un mauvais goût et sa chair est sanguino-
lente. Le devant du chevreuil se mange en civet ;
le cœur et le foie en sauce piquante. Le sang se
mange en omelette par les chasseurs amateurs ;
mais, en réalité, la renommée de la viande du chevreuil n'existe que dans les filets et les gigots. »
Parez un gigot de chevreuil, c'est-à-dire nettoyez-

le de ses peaux et de ses fibres, puis faites-le mariner 24 h dans l'huile d'olive, avec oignons coupés en tranches, laurier, thym, ail et retournez-le plusieurs fois.

Il arrive souvent qu'on fasse mariner le chevreuil dans le vin, d'autres dans le vinaigre ; mais c'est un mauvais système qui décompose la viande et lui donne un goût désagréable ; il faut donc s'en tenir à l'huile et ne pas saler la viande qu'on fait mariner, le sel en fait sortir le jus. Pour faire rôtir, mettez votre gigot devant un feu vif et arrosez-le souvent avec sa marinade que vous avez passée au tamis.

Salez votre rôti 10 min avant de le retirer du feu. Ce gigot se mange avec une sauce piquante, dite sauce au chevreuil. Elle se fait comme suit :

Faites un roux avec du beurre et de la farine. Mettez-y des échalotes hachées menu, en ayant soin de ne pas le laisser roussir. Mouillez avec du bouillon, ajoutez-y quatre têtes d'ail cuites sous la cendre et mises en purée, sel, poivre, muscade, bouquet de persil, une feuille de laurier et du vinaigre à la quantité nécessaire pour aciduler la sauce. Laissez cuire une demi-heure. Passez votre sauce et 5 min avant de servir joignez-y des câpres ou des cornichons hachés.

Gibier à plumes

« Parmi le grand nombre d'oiseaux indigènes qui figurent honorablement sur la table des gourmets, le faisan et la perdrix sont en première ligne. Parmi les oiseaux exotiques qui arrivent en France à certaines époques, la bécasse, la caille et la bécassine ont bien leur bonne part dans la gastronomie.

Le portrait de Vatel.

Nous avons en France des oiseaux indigènes qui ont une grande réputation de bonté, mais ils sont si rares et si peu répandus qu'il faut laisser à ceux qui habitent les pays privilégiés, où se trouvent le tétras, le coq de bruyère, la gélinotte, la préoccupation de savoir les accommoder… La caille est grasse après les moissons, la grive après les vendanges, et l'alouette en automne. Chacun de ces oiseaux a donc son temps marqué pour offrir ses qualités culinaires, et s'il n'est pris dans sa saison, il est loin de ce qu'on le trouve lorsqu'il est mangé à temps. La grive et l'alouette ne se vident pas, et pour en faire un excellent rôti, il faut les barder de lard frais et les faire rôtir à feu vif. Le petit gibier, s'il languit à la broche, se dessèche et perd son fumet. On met des grelettes de pain dans la lèche-frite pour recevoir ce qui tombe du rôti.

Le véritable salmis se fait généralement avec du gibier. Je mets en première ligne, la bécasse, la bécassine et la caille ; puis arrivent le canard sauvage, la sarcelle, le pluvier, le vanneau, la poule d'eau, la grive, l'alouette, le râle des genêts et autres dont l'énumération serait trop longue pour les nommer tous… Le canard sauvage est supérieur en qualité de chair, en finesse de goût, au canard domestique ; cependant il ne faut pas confondre les espèces, car dans cette nombreuse famille il y a plusieurs catégories à établir.

Le canard sauvage, qui ressemble au canard domestique par sa grosseur et son plumage, est le seul qu'on doive rechercher ; le harle, le siffleur et beaucoup d'autres sont médiocres de goût, leur chair étant huileuse ou musquée. Lorsque le canard sauvage est jeune, il se nomme albran et alors il est très recherché des gourmets. Le canard sauvage se mange de différentes manières, il est très bon rôti lorsqu'il est gras et surtout si on le fait cuire à un feu très vif et en une demi-heure, de même qu'on le mange en Normandie. La sarcelle est un manger très fin qui ne diffère en rien de la manière d'accommoder le canard sauvage ; il en est de même pour le canard domestique.

Le canard rôti se mange sur un lit de cresson ou sur des grelettes de pain grillé. »

Après les recettes culinaires, on trouve dans ce vieux livre des recettes de remèdes, car la cuisine et la pharmacopée ont toujours été imbriquées :

« L'empoisonnement par les ustensiles de cuivre en cuisine : du cuivre mal lavé, mal étamé, produit souvent des empoisonnements par le vert-de-gris. C'est alors des vomissements de matières verdâtres. La personne empoisonnée est alors atteinte de coliques violentes accompagnées de déjections, le ventre se ballonnne et devient très sensible. » « Contre-poison : le malade soigné doit prendre six blancs d'œufs battus à l'état de neige.

« Château tout à fait magnifique ; composite, mais qui a toujours été transformé avec un dessein de grandeur et de noblesse. »
A cette citation de La Varende, nous ajouterons l'impression de familiarité amicale qui se dégage de cette façade au soleil couchant.

Ce remède albumineux, donné à plusieurs reprises coagule et paralyse les effets du poison. »

« Baume sympathique : ce baume est bon pour toutes les blessures, arrête les vomissements de sang, fuie les efforts intérieurs, rassoie les sens de toute espèce de commotions et enlève souvent des douleurs dont on ne connaît pas toujours la cause. Le baume précieux se compose comme suit :

colophane : six onces

mirrhe en larmes : une once

aloës épathique : une once

encens fin : trois onces.

Pilez le tout dans un mortier et réduisez en poudre ; mettez cette poudre dans une bouteille de grès avec trois chopines d'esprit de vin. Bouchez bien la bouteille et mettez-la pendant quarante jours au coin du feu ayant le soin de l'agiter plusieurs fois dans le jour. Ce remède se prend en deux ou trois prises d'une cuillerée à bouche, à douze heures d'intervalle. Il est bon de prendre ce remède le plus tôt possible après l'accident. Dès qu'on a pris le remède, il est nécessaire de se donner beaucoup d'exercice et de se faire suer s'il est possible. Ce remède se prend cinq ou six heures après avoir mangé. En général la saignée après un accident devient inutile si on a pris le baume sympathique. »

*V*oyez avec Chantal, elle connaît la maison autant que moi. Elle vous donnera tout ce dont vous avez besoin. » La duchesse d'Audiffret nous a donné le ton d'une maison de confiance et de sérénité. Dans le petit empire de sa cuisine, Chantal jouit depuis vingt ans de la confiance de ses employeurs et de l'assurance de sa qualité. C'est une cuisine où l'on vit, et où ses enfants ont grandi. Elle a vu passer des repas prestigieux et beaucoup d'autres, plus familiaux. Le grand fourneau de fonte ne sert plus, bien qu'il ait été utilisé en 1967 lors du passage d'Elisabeth II d'Angleterre, mais elle a une cuisinière au gaz, et une autre au bois en cas de besoin. Sa cuisine de château est large et bien éclairée, elle ouvre d'un côté sur le sud, et de l'autre sur l'avant du château, où une cloche sert à appeler aux repas. Auprès sont diverses réserves, caves… Un passe-plat mène à l'office de l'étage. De là, on dessert la salle à manger privée du château, et la salle à manger d'apparat, que domine un portrait de Vatel : ce célèbre maître d'hôtel du prince de Condé se tua le 24 avril 1671 : il avait un grand repas, mais la marée était en retard et il ne pouvait supporter le déshonneur d'un repas gâché ! Heureusement, les cuisiniers ne se tuent plus. Mais ce portrait nous rappelle qu'un repas bien fait et servi à point est toujours, quel que soit son cadre, une œuvre d'art.

Menu du 27 novembre

Terrine de faisan
Pintade aux raisins
Fromages
Pie de rhubarbe

Cidre de Sassy de l'année
Cidre de Sassy de l'année
dernière

LA PINTADE AUX RAISINS

Coupez la pintade en morceaux
et faites-les revenir dans un
mélange de beurre et d'huile.
Quand c'est bien doré, flambez
avec un verre de calvados,
versez une bouteille de cidre.
« J'ajoute, dit Chantal, deux
feuilles de lauriers, sel, poivre.
Je la laisse mijoter ; en fin de
cuisson j'ajoute les raisins que
j'ai fait gonfler dans l'eau chaude,
deux sortes de raisins, pour faire
une différence de couleur. Et
quand c'est cuit, j'épaissis avec
20 g de Maïzena,
et juste avant de servir,
j'ajoute deux cuillerées de
crème fraîche. Je sers ce plat
avec des pommes noisettes
vapeur que je tourne dans les
pommes de terre du potager. »
Les pommes noisettes sont rondes,
évidemment, et laissent
beaucoup de déchet dans les
pommes de terre. Avec, on peut
faire des frites biscornues pour
amuser les enfants.

LE PIE DE RHUBARBE DU POTAGER

Coupez en morceaux la rhubarbe
en la débarrassant de ses fils.
Mettez-les dans une terrine allant
au four, parsemez de sucre en
poudre ; badigeonnez les bords
avec un jaune d'œuf mouillé
d'eau pour faire coller les bords
à la pâte feuilletée qui recouvre
la terrine. Faites une cheminée
avec du papier d'argent.
Dorez la pâte au jaune d'œuf
dilué dans un peu de lait ou
d'eau. Faites cuire 45 min,
à chaleur moyenne.
Servez tiède ou froid dans son
plat de cuisson avec une crème
fraîche liquide que chacun sucre
selon son goût.

PETITS SABLES AUX ŒUFS DURS

150 g de farine, 100 g de beurre,
75 g de sucre en poudre, deux
jaunes d'œufs durs, un peu de
sel, un zeste de citron râpé.

Pintade aux raisins.

Mettez la farine en fontaine avec le reste des ingrédients au centre, pétrissez la pâte avec les deux jaunes d'œufs durs passés au tamis, et le beurre fondu ; faites une boule, laissez-la se reposer au frais, surtout l'été où la pâte est ramollie par le beurre qui est en grande quantité quand elle est bien ferme, étendez-la au rouleau mais tenez-la assez épaisse ; découpez-la à l'emporte-pièce, qui donne la forme de petits sablés.

Cuisez au four très chaud sur tôle beurrée, 5 ou 6 min.

CROQUETTES D'ŒUFS DURS

La salle à manger du château de Sassy.

Faites une béchamel très épaisse, faites cuire les œufs, coupez-les

en petits dés, mettez-les dans la béchamel. Huilez un plat, étalez ce mélange dedans et laissez refroidir au réfrigérateur. Démoulez bien froid. Coupez pour faire une forme de bouchon qu'on roulera dans l'œuf battu, puis dans la chapelure. Remettez au frais pour que la chapelure tienne. Au dernier moment, passez à la friture quelques minutes.

LE PUDDING DU CABINET

Recette de madame de Blanchy, mère de madame d'Audiffret-Pasquier. Ce pudding reçut le surnom de « cabinet » par les enfants. En effet, lors de sa préparation, ce gâteau était roulé dans un linge et passait une nuit dans le bidet de la salle de bains, car seul le bidet, dans la maison, avait la longueur adéquate du pudding !

1 kg de raisins de Malaga, 1 kg de raisin de Corinthe, deux quartiers de cédrats, quatre zestes de citron, 1 kg de sucre en poudre, un demi-gobelet d'eau-de-vie, une demi-muscade râpée. Le tout mêlé à l'avance (une nuit). 500 g de mie de pain, 500 g de farine, 1 kg de moelle de bœuf bien fraîche, dix-huit œufs entiers, du lait pour mouiller, à ajouter le jour même.

Il faut bien mêler le tout ; le mettre dans un torchon mouillé à l'eau chaude et saupoudré de farine, ou si on veut le foncer, on met du beurre bien étendu sur le linge avant de le saupoudrer de farine.

Cuire au bain-marie à l'eau bouillante pendant 6 h. Remuer pendant un moment, afin que les raisins n'aillent pas au fond.

BOUDIN BLANC

Coupez en dés six gros oignons blancs et faites-leur prendre un bouillon dans l'eau chaude. Faites-les cuire ensuite dans une casserole avec 500 g de saindoux sans qu'ils prennent couleur. Hachez et pilez de la panne, autant de chair de volaille cuite à la broche, tout particulièrement les blancs, et, en l'absence de cette viande, prenez de la rouelle de veau ou de cochon. Mettez autant de mie de pain imbibée de crème ou de lait qu'il y a de viande. Délayez le tout avec six jaunes d'œufs, sel, muscade, poivre blanc, un quart de crème fraîche. Versez tout cela dans la casserole où sont les oignons ; le mélange étant bien fait, entonnez les boudins dans des boyaux et faites cuire dans l'eau un quart d'heure à petit bouillon.

GRENADINS DE VEAU A L'OSEILLE

« Le veau est d'une excellente nourriture et d'une grande ressource dans la cuisine, mais pour manger du veau de bonne qualité, il faut le prendre de six semaines à deux mois pendant qu'il est sous la mère ; plus tard, lorsqu'il mange il prend le nom de broutard et alors sa chair est dure et son goût moins délicat que celui du veau de lait. » (Lastic Saint-Jal.)

Le pie de rhubarbe.

Les grenadins se taillent comme les escalopes mais moins larges et plus épais, façon tournedos. On les choisit dans la noix de veau plutôt et on les pique généralement de fins lardons. Faites saisir vos grenadins dans un mélange de beurre et d'huile à feu vif, qu'ils dorent sur les deux faces, retirez-les, jetez la graisse et versez 20 cl de vin blanc, laissez toujours à feu vif, que le vin réduise, ajoutez alors les grenadins puis un peu de bouillon à leur mi-hauteur ; réduisez le feu, salez et poivrez. Laissez mijoter 45 min environ à couvert. Pendant ce temps, ciselez un gros bouquet d'oseille lavé et débarrassé de ses tiges. Faites fondre du beurre dans une petite sauteuse et faites fondre l'oseille à feu doux. Quand les grenadins sont cuits, disposez l'oseille sur un plat et les grenadins par-dessus et tenez-les au chaud. Faites réduire encore et à feu vif la sauce. Crémez la sauce et nappez-en le plat.

L'office du château de Sassy. C'est le pivot d'un service sans heurts.

ANET

Le mausolée de Diane

La salle à manger d'Anet est décorée d'une série de tapisseries des Flandres à motifs de chasse. Au centre de la table se trouve une nef Renaissance.

La nef est une pièce de vaisselle symbolique et liée à la royauté : elle renferme des épices, des « essais » qui sont des contre-poisons, et les objets de table personnels du souverain, tout en évoquant les vaisseaux qui rapportent ces épices.

Sa fonction devint ensuite purement décorative, mais elle resta associée aux grands personnages. Au-dessus d'un médaillon d'albâtre représentant une Diane au cerf, la cheminée monumentale porte les armoiries de Diane et cette inscription :

« Dapidus mensas orneramus inemptis » (Nous chargeons nos tables de mets qui ne sont pas achetés).La fierté d'un château, c'est aussi de se suffire à lui-même.

Anet représente un jeu permanent entre la réalité et ses représentations. Ici, un mausolée de Diane et la chapelle en croix grecque. Mais le vrai mausolée de Diane est noir, et sa chapelle funéraire est rectangulaire. Deux chapelles et deux mausolées pour une seule personne... mais Diane de Poitiers n'était pas une personne ordinaire.

Sur l'échiquier de la vie contrastée de Diane de Poitiers, l'une de nos grandes courtisanes, la partie ultime s'est jouée à Anet. Là elle s'est retirée après la mort de son roi et la fin de sa faveur face à sa puissante rivale Catherine de Médicis. Puis les vents tournants de l'histoire ont dispersé les pièces de sa gloire. Les mausolées de Diane parsèment le parc. La chapelle, chef-d'œuvre de Philibert De l'Orme, est une belle symbolique d'un destin contrasté : le dôme à caissons reporte sur le sol son ombre tourbillonnante, marbre noir et marbre blanc, et une rosace de marbres retirés des palais des empereurs romains reflète le lanternon ouvert sur les cieux.

Le vieux château fort d'Anet avait été remplacé au XV siècle par une vaste demeure, siège de la seigneurie tenue par les Brézé. En 1515, Louis de Brézé, grand sénéchal de Normandie et grand veneur de France, épousa en secondes noces Diane de Poitiers, âgée de 16 ans. Belle, intelligente, passionnée de vénerie, de grande naissance — et veuve en 1531 — Diane fait la conquête du prince Henri, couronné Henri II en 1547. Il est l'époux de Catherine de Médicis (mariage d'ailleurs élaboré à Anet), mais la maîtresse officielle tient bon rang : à Chenonceau déjà, qu'elle a reçu du roi (et que nous avons étudié dans un ouvrage précédent), elle orne les murs de leurs monogrammes enlacés.

A Anet, où elle amène son architecte, Philibert De l'Orme, et lui fait bâtir un grand château fastueux, ces marques deviennent obsessionnelles, et voisinent avec les cénotaphes de son deuil — origine de ses couleurs qui sont le blanc et le noir. Anet est — était — l'un des plus aboutis palais de France. Mais Henri II fut tué dans un tournoi, en 1559, et Diane dut quitter la Cour et abandonner Chenonceau. Elle se consacra alors à Anet, vaincue mais toujours active.

Après sa mort en 1566, la seigneurie passa à sa fille, Louise de Brézé, épouse du duc d'Aumale — grand veneur de France et proche de la famille de Guise. Leur fils Charles fit inhumer le corps de Diane dans la chapelle funéraire qu'elle avait commandée avant sa mort. Puis la seigneurie d'Anet devint une principauté. Mais, lié

à la Ligue, Charles dut s'exiler à l'avènement de Henri IV.

Le château fut vendu aux Mercœur, transmis aux Vendôme, dont Louis-Joseph qui le modifia profondément et fit créer le parc par Le Nôtre. Il y mena une vie de fastes et de fêtes où l'on croisait Lully, La Fontaine, Molière, et tous les grands de la Cour.

Sa succession, plutôt embrouillée, se régla au profit d'Anne de Bourbon, duchesse du Maine par son mariage avec un fils légitimé de Louis XIV et de madame de Montespan. Retour à Anet des grandes courtisanes ! Ses deux enfants, célibataires, lui succédèrent, puis le duc de Penthièvre, riche et influent, et assez respecté pour n'être pas inquiété par la Révolution. Mais dès son décès, en 1793, le château fut saisi, Diane tirée de son cercueil — le corps était intact ! — et jetée dans une fosse commune. On retrouvera plus tard son sarcophage changé en auge à cochons. Alors que le château était dépecé par des marchands de biens, Alexandre Lenoir, créateur du musée des Monuments français, parvint à faire acheter par l'Etat les plus belles œuvres d'art.

Ce sont finalement les habitants d'Anet qui firent cesser la démolition, alors que le corps central et l'aile droite du château avaient disparu.

Racheté par la fille du duc de Penthièvre, mère de Louis-Philippe d'Orléans, revendu, Anet échut en 1840 au comte de Caraman, qui le restaura, puis à Ferdinand Moreau, homme politique dont descend la famille de Yturbe qui l'occupe aujourd'hui. Restauré longuement, touché par la dernière guerre, Anet a retrouvé ses monuments dispersés au fil de l'histoire et demeure un des plus beaux exemples de la Renaissance française. Le lit de Diane et son tombeau sont revenus dans les murs ornés du D et du H embrassés.

Du haut des terrasses du portail, on suivait le départ des chasses. Ce cerf hallali a remplacé le groupe animé de De l'Orme qui sonnait et aboyait les heures. La chasse de Diane est figée pour l'éternité.

85

*Les recettes du château
d'Anet
telles que Michèle, la cuisinière
du château,
nous les a confiées.*

LAPIN CHASSEUR

Un beau lapin, 200 g de lard, 200 g de champignon,
un oignon, 200 g de petites carottes, un verre de vin blanc sec, vingt petites pommes de terre (rattes du jardin).
Mettez le lapin coupé en morceaux à revenir avec du beurre. Déglacez avec le vin blanc. Ajoutez les lardons, blanchis au préalable, et l'oignon émincé. Ensuite ajoutez les petites carottes et les champi-gnons. Laissez cuire 45 min, à feu doux.
Vingt minutes avant la fin de la cuisson, mettez à cuire les pommes de terre à l'eau.

TARTE AUX POMMES ANETAISE

Prévoyez une pâte feuilletée toute faite, six pommes reinettes épluchées et coupées en tranches fines. Beurrez un plat à tarte. Et installez la pâte.
Disposez-y artistiquement les lamelles de pommes, avec une rosace au centre. Saupoudrez de sucre, mélangez un œuf entier et un demi-verre de lait que vous étalez sur la tarte et enfournez pendant 45 min.

Lapin chasseur.

NAVARIN D'AGNEAU AUX PETITS LEGUMES

Epluchez les petits oignons grelots, les navets et coupez-les en quatre s'ils sont moyens, sinon laissez-les entiers s'ils sont petits, les carottes en rondelles, écossez les petits pois (ou prenez-en des surgelés que vous aurez ébouillantés au préalable, dans ce cas, c'est dans le dernier quart d'heure de cuisson que vous les ajouterez). Les pommes de terre seront épluchées, coupées en quatre et réservées dans l'eau.
Faites revenir dans l'huile des morceaux d'épaule d'agneau et un peu de collier, sur toutes leurs faces, ajoutez une tomate et un oignon émincé ; ajoutez trois verres d'eau, laissez frémir et ajoutez tous vos légumes, couvrez à feu très doux.
Laissez mijotez 40 min.
En dernier lieu, découvrez et laissez un peu réduire.
Les pommes de terre auront été ajoutées 20 min avant la fin de la cuisson du navarin.

SAUTE DE VEAU A L'ORANGE

Choisissez la viande dans le quasi. Qu'il soit découpé en morceaux revenus dans de l'huile avec des oignons, bien dorés. Ajoutez un petit verre de vin blanc. Laissez cuire à feu doux et à couvert.

Pendant ce temps, zestez une
ou deux oranges que vous
blanchissez dans l'eau bouillante,
égouttez et rincez.

Quand le veau est cuit, retirez-le
de la marmite. Salez et poivrez.
Jetez la graisse et remettez la marmite sur feu vif, versez un petit
verre de vin blanc, laissez bouillir,
pressez le jus de deux oranges
que vous versez dans la marmite,
remuez, puis versez sur le veau.

GATEAU AU CHOCOLAT

125 g de beurre, une plaque de
chocolat amer (à peu près 100 g),
100 g de sucre, la moitié d'un
sachet de poudre d'amandes.
Quatre jaunes et quatre blancs.
C'est un gâteau qui ne doit
pas cuire complètement,
il faut le guetter, de façon à ce
qu'il reste crémeux et coulant
quand on le sert. Vous aurez
monté les blancs en neige que
vous ajouterez au mélange des
autres ingrédients. La cuisson est
donc « à guetter ».
Il se décore de sucre glace et de
copeaux de chocolat.

Derrière la porte, la flamboyante
salle à manger d'Anet.
Devant, une cuisine claire et
moderne, organisée autour d'une
Cornue toute neuve.
Sur la table, la tarte anetaise.

CANY

Grand Siècle
en pays de Caux

───◆───

*On devine la patte de Mansart dans
ce beau château qui se contemple
dans ses plans d'eau.*

Bel exemple du style Louis XIII en pays de Caux, le château de Cany est dressé sur un îlot de la vallée de la Durdent. Ce site stratégique, à trois lieues de la mer, abritait déjà un château fort au XIIᵉ siècle, qui, après Jean, duc d'Alençon, tué à Azincourt, fut confisqué par Henri V d'Angleterre, pour revenir finalement aux Bourbons. Le château actuel fut édifié, en une campagne de six ans seulement, par Pierre Le Marinier, seigneur de Cany, puis échut en 1682 aux Becdelièvre. Il n'a jamais été vendu depuis : Armande de Becdelièvre l'apporta aux Montmorency-Luxembourg. Cany traversa la Révolution d'une manière surprenante autant qu'émouvante : Anne de Montmorency-Luxembourg ayant émigré, sa femme demanda et obtint le divorce, tout nouvellement institué. Elle put ainsi garder et son château… et son mari qu'elle épousa de nouveau en 1801. Par alliance, Cany passa ensuite aux barons d'Hunolstein, et c'est pourquoi l'on retrouve le chiffre M.L.H. sur la vaisselle et les batteries de cuisine. Enfin à la famille Dreux-Brézé, aujourd'hui propriétaire.

Par le jeu des miroirs et des baies vitrées aux carreaux anciens, la salle à manger de Cany, au-dessus de la cuisine, est une pièce claire et gaie, ornée d'une grande tapisserie et de quelques très beaux tableaux.

Le château de Cany est d'une lisibilité exemplaire : à l'extérieur, une avant-cour monumentale encadrée de communs qui se prolongent vers les jardins. Des pièces d'eau et des douves qui le mettent en valeur, puis de belles grilles et un parc redessiné à l'anglaise au siècle dernier. A l'intérieur, un soin particulier a été apporté à la distribution des pièces : chaque aile abrite un escalier, et les grands salons en enfilade ouvrent sur les deux façades. Il a heureusement conservé son précieux mobilier d'origine, de beaux tableaux, ses bibliothèques et ses archives, ses souvenirs de famille. Les recettes que nous a transmises la comtesse Antoine de Dreux-Brézé, née Gilone d'Harcourt — un grand nom de Normandie — sont celles du pays de Caux : harengs et maquereaux de la pêche de Fécamp, poulet d'Yvetot, et le célèbre canard à la presse.

 Menu du 23 septembre 1861

Servi pour le baptême de Félix d'Hunolstein (le grand-père d'Antoine de Dreux-Brézé)

Potage
Purée Crécy

Hors-d'œuvre
Bouchées à la reine

Relevé
Saumon sauce vénitienne

Entrées
Filets sauce madère
Poularde du Mans à la Chivry
Timbales Bondou
Canetons à la jardinière
Sorbets au kirsch

Rôtis
Poularde truffée
Salade chicorée

Légumes
Champignons panachés aux truffes
Petits pois au sucre

Entremets
Homards à la Montpensier
Terrine de foie gras truffé
Bombes glacées à la vanille
Gâteau mousseline

Desserts variés

Vins
Meursault
Graves en carafe
Médoc en carafe
Champagne frappé
Château Léoville 1838
Corton 1842
Moët et Chandon frappé

La purée Crécy se dit d'une préparation faite avec des carottes émincées étuvées dans du beurre avec un oignon ciselé et un brin de thym. Les carottes auront été parsemées de sel et de sucre au préalable. Ensuite elles sont mouillées d'un consommé blanc auquel on ajoute du riz. Cuisson douce au bout de laquelle on passe cette purée à l'étamine (au lieu de riz on peut mettre des croûtons de pain frits au beurre).

La sauce vénitienne accompagne toujours des poissons en préparations diverses. Elle consiste en une réduction de vinaigre à l'estragon, d'échalotes hachées et de cerfeuil. On la passe au tamis et on y adjoint de la sauce au vin blanc (velouté de poisson, jaunes d'œufs et beurre façon hollandaise). On complète cette sauce avec du beurre vert (beurre ajouté de cerfeuil, estragon, oseille, épinard…).

Poularde à la Chivry : c'est une poularde pochée, nappée de la sauce suivante : dans du vin blanc, on jette des herbes telles que cerfeuil, persil, estragon, ciboulette et pimprenelle nouvelle ; on laisse infuser puis on passe au linge. On lui ajoute alors un velouté que l'on monte au beurre de Chivry (du beurre mélangé aux diverses herbes qui ont servi à l'infusion, broyées au

mortier). Cette poularde était servie avec une macédoine de légumes nouveaux liés au beurre ou à la crème.

Homard à la Montpensier : c'est une garniture faite de pointes d'asperges liées au beurre et de lames de truffe.

POULET D'YVETOT AUX POMMES

Yvetot est le plus célèbre « francalleu » de France. Petit territoire du pays de Caux bénéficiant de tous les privilèges de la souveraineté jusqu'au XVIe siècle (Henri IV, amateur de volailles s'il en est, disait : « Si je perds le royau-

Ces curieuses — et rares — cuillers de cuisine au chiffre M.L.H. peuvent faire un double emploi.

C'est grâce à cette presse que l'on exprime tout le jus du célèbre canard à la rouennaise. Il y a deux races de canards dans le pays de Caux : le rouennais et le duclair, le rouennais a un goût plus particulier car il n'est pas saigné mais étouffé.

me de France, il me restera toujours celui d'Yvetot ! »), transmis comme principauté, Yvetot fut balayé par la Révolution. Il n'y a plus de roi d'Yvetot, bien qu'un titre princier ait encore été porté en ce siècle.

Cette recette est simple pourvu que le poulet soit bon. Bien doré de part en part il cuira en sa cocotte. Quand il sera à point, salez, poivrez et enlevez-le de son récipient ; gardez-le au chaud. Jetez la graisse et déglacez avec le calvados et flambez-le, placez un peu de beurre, ajoutez des tranches fines de pommes reinettes ou boskoop. Quand elles sont cuites, dressez-les autour du poulet que le maître d'hôtel découpera au guéridon.

La saucière à jolie queue de paon porte comme un rébus les lettres C.A.N.Y.

LE CANARD A LA PRESSE

Faites rôtir le canard rouennais pendant 20 min, enlevez les cuisses qui ne seront pas servies tout de suite, car elles sont remises à griller, pour les déguster ensuite ; détaillez les filets en fines aiguillettes, rangez-les l'une à côté de l'autre sur un plat tiède ; assaisonnez-les de sel et de poivre. Hachez la carcasse à la presse en l'arrosant de bon vin rouge. Recueillez le jus, additionnez d'un filet de cognac, faites bien chauffer et montez au beurre délicatement sans bouillir,

que cela devienne onctueux. Arrosez-en les aiguillettes. Servez immédiatement. Cette recette du début du XIXᵉ siècle fut créée par un restaurateur de Rouen, du nom de Méchenet. Reprise à La Tour d'Argent, à la fin de ce même siècle, par le célèbre cuisinier Frédéric, elle devint la spécialité de cet établissement. Chaque canard à la presse fut numéroté ; et c'est ainsi qu'en 1996 le million fut atteint.

On relève que le numéro 328 fut servi en 1890 à Edouard VII, alors prince de Galles, le numéro 33642 à Theodore Roosevelt, le numéro 253652 à Charlie Chaplin.

CANARD DUCLAIR

Les canards duclair, élevés sur les bords de la Seine, sont noirs à bavette blanche. Voici une recette du pays : le canard sera rôti à la broche une quinzaine de minutes, car il doit rester rosé tout en ayant perdu sa graisse. Puis détachez les ailes et les pilons que vous salez, poivrez et badigeonnez de moutarde forte. Passez ailes et pilons sous le gril pendant quelque 5 min. Ensuite, vous prélevez la peau et coupez les filets en aiguillettes assez fines. Vous nappez de la sauce que vous aurez préparée bien avant, car elle peut se conserver quelques jours au réfrigérateur. Cette sauce se réalise ainsi : hachez 1 kg d'oignons et faites revenir au beurre et à feu doux.

Une table épaisse, un solide fourneau : la cuisine de Cany est bien équipée pour servir une grande maison.

Quand ils sont bien dorés et non brûlés, ajoutez une bouteille de vin rouge, style bordeaux, et laissez mijoter doucement pendant 3 h. Quand la réduction est faite, liez avec du beurre, mettez dans un pot et réservez au réfrigérateur.

Au moment de servir, réchauffez-la délicatement et nappez votre canard.

Savez-vous que le dindon porte le nom de picot, jésuite ou curé dans le pays de Caux ? Il est nourri dès poussin au hachis d'herbes, de feuilles d'orties et de jaunes d'œufs pour le fortifier.

« Bouffer du curé » était l'expres-sion populaire quand il s'agissait de la fête du dindon, enfin… sa fête, façon de parler !

LES SAFATTES
(AUX HARICOTS BLANCS)

Ce sont des harengs fendus et mis en saumure puis fumés aux copeaux de hêtre.

Les faire griller sur des braises quelques minutes en septembre, octobre. Les servir avec des lingots, des cocos ou des soissons. Une sauce à la crème poivrée non salée, liée avec un jaune d'œuf.

LES MAQUEREAUX

Etêtés, vidés, tranchés le long du dos près de l'arête ; écraser grossièrement une grande quantité de poivre que vous ferez pénétrer côté chair dans les maquereaux en les frottant avec la main. Les faire sécher au soleil pendant deux ou trois jours attachés par la queue. Enlever l'excès de poivre. Faire griller au four ou sur le gril et servir au naturel avec un filet de citron ou un filet de crème chaude.

BONNEVILLE

Pour l'amour d'une maison

Dyonisos : « La seule mâture est la vigne. Le sceptre est la future corne d'abondance. Ainsi figurait-on le maître de la joie humaine, de l'oubli par le vin, du principe de la plus haute animalité [...].
C'est Dyonisos qui unit les deux natures humaines, âme et corps, car l'ivresse n'est pas uniquement corporelle... »

Page précédente : « Les lourdes tapisseries de la salle à manger sont sans beauté, mais y tiennent leur place depuis 1676 [...]. Alors, tout le reste de l'ameublement s'y accorde : les fauteuils au point de Saint-Cyr, les coffres à clous, les bahuts et deux lions (de sexe différent) en vieux Rouen et qui rugissent sans conviction. »

Vu de ce côté, Bonneville prend son air de petite forteresse. Les douves ont disparu, restent les tours d'angles et les lions de Chine. Au fond, l'orangerie du château.

« **D**yonisos devrait être un des grands patrons français, qui aurait son sanctuaire entre Dijon et Chagny, une cathédrale en Gironde et sa chapelle à Reims. »

N'eût-il écrit que cela, Jean Mallard, comte de La Varende, mériterait bien son couvert dans « La Cuisine des châteaux » ! Ecrivain prolifique, lancé par le succès de *Nez-de-Cuir*, il se flattait de n'écrire que des choses exactes (compte bien tenu de la licence littéraire acceptable). On peut être surpris par le style vif et parfois brutal de ce romancier et chroniqueur que la guerre a mis un peu en éclipse (La Varende était homme de droite, traditionnel et monarchiste, mais aussi philosophe : son château ayant été pillé par les Allemands, il fit contre mauvaise fortune bon cœur). On peut ne pas aimer cette nostalgie d'un âge d'or dans une société rurale aujourd'hui disparue. Mais on doit lui reconnaître un attachement passionné à sa terre du pays d'Ouche, et la grande tendresse de ses descriptions : La Varende n'est pas un revanchard aigri, mais plutôt un homme égaré dans une époque qui lui échappe, vaincu par la vie faute d'adversaires à sa convenance, et qui s'est réfugié — avec quel succès ! — dans l'écriture, ou la construction de maquettes, ou la plomberie… ou toutes sortes d'artisanats qu'il considère avec autant d'égalité et entreprend avec autant de sérieux, et appelle « les petits métiers nobles ». Le cadre de toutes ces activités, ce fut son cher château de Bonneville, au Chamblac, en pays d'Ouche.

Bonneville fut construit par la famille du même nom près d'un ancien château fort. Puis il s'est transmis aux La Varende par voie de succession. Jean de La Varende y naquit en 1887, l'année où mourut son père à 38 ans. Il vécut sa jeunesse à Rennes, qu'il n'aimait guère, bien qu'il y fît les Beaux-Arts. Mais ce garçon de santé fragile rêvait des aventures de son père lieutenant de vaisseau, de son grand-père amiral… et du Chamblac. Alors il se met à écrire, aussi vite qu'il dessine. Puis, en 1919, rachète à son frère la maison de sa vie. Dès lors, Jean de La Varende fait corps avec sa maison. Il en connaît les limites et

n'essaie pas de jouer au grand châtelain : « La demeure est charmante, sans plus. »

Proche de l'énorme château de la famille de Broglie, Bonneville est une aimable demeure à façade de briques, « des briques à peine cuites », que l'on a doublée d'une galerie arrière pour donner à l'intérieur le confort que suggérait sa longue façade. Jean de La Varende l'habite en hobereau modeste : « Je suis mon premier valet, je l'avoue en tout loyalisme. Je ferme la maison tous les soirs comme on embrasse un gosse qui vous touche le cœur. »

Il en caresse (parfois en accentue) la modestie : « De Chamblac, on pourrait dire ce qu'on accordait jadis au *dandy* : quelqu'un de bien mis doit passer inaperçu. »

Et surtout, il la soigne en artisan : de lui, la rosace en mie de pain qui encadre toujours le lustre au plafond de la salle à manger. De lui boiseries, meubles, peintures…, de lui l'oratoire sur lequel ouvre un placard de la salle à manger ; de lui, aussi, le canon miniature qui nargue les visiteurs au tournant de l'escalier. De lui, enfin, cette extraordinaire collection de maquettes de navires, œuvre d'une vie d'un menuisier poète qui savait se moquer de lui-même : « Dans les combles s'étalent les insupportables bateaux sortis de mes mains et de mon engouement pour les modèles de marine. »

Faute d'avoir voyagé, faute d'avoir vécu les aventures exotiques en vogue au début du siècle, Jean de La Varende les a recréées dans ses greniers avec une minutie incroyable. Comme il le faisait de chaque détour en Normandie, de sa maison ou de chaque surprise de la vie, il en a tiré un livre. Une *Histoire de la marine par ses maquettes* où se succèdent les nefs légendaires, le Saint-François lancé par François Ier, si énorme qu'il ne put jamais sortir du port du Havre, et les embarcations exotiques de tous les pays du monde. Un éternel voyage, resté au second étage.

Enfin, la cuisine. Elle n'est pas en reste, et bien en accord avec le personnage. Le hachis Parmentier, qu'on sert le second jour du pot-au-feu, s'appelle au Chamblac *l'enterrement civil…* Nous avons choisi dans le carnet de sa femme quelques recettes poétiques et sensées. Lui est mort en 1959. Sa belle-fille, Brigitte de La Varende, ouvre aujourd'hui le château à ceux qui en font la demande, et nous a confié toutes les joies de cette demeure point trop imposante, mais si agréable à vivre : « C'est une maison aimée, qui vieillit bien. »

*La barque de Dyonisos,
une des 250 maquettes
de Jean de La Varende.*

CHARTREUSE DE FAISAN OU DE PERDRIX

Pour un beau faisan, ou deux perdrix, il faut trois choux de Milan, dix carottes moyennes, dix navets, deux saucisses, quelques morceaux de lard, quelques tranches de saucisson. Faites cuire d'avance votre faisan au jus ou au roux et ménagez-vous une sauce assez longue. Placez auprès de celui-ci les choux coupés en deux ou en quatre suivant leur grosseur, puis vos petites tranches de lard et vos saucisses. Coupez en rouelles les carottes et les navets. Mettez-les à cuire dans l'eau bouillante avec un peu de beurre et une pincée de sucre et une de sel. Découpez votre faisan, coupez en tranches vos saucisses et votre saucis-

son. Une fois tout ce qui compose votre garniture cuit, et sous votre main, prenez un moule uni, beurrez fortement le fond. Posez dans le fond du moule une couche de ronds de carottes et de navets, une couche de choux, des morceaux de faisan, une couche de choux, une de saucisses et une de saucisson ; continuez à alterner avec goût en mettant de temps en temps une cuillerée de sauce bien répartie. Lorsque votre moule est à peu près plein (à 2 cm du bord), mettez-le au bain-marie et laissez cuire 1 h. Au moment de servir, démoulez et entourez de sauce ; servez bien chaud.

Note : à défaut de perdrix ou de faisan, vous pouvez employer des pigeons ; des pigeonneaux demanderaient une cuisson moins longue.

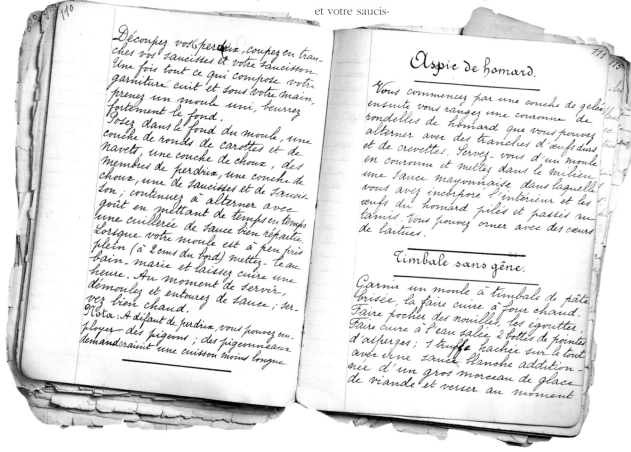

CHOU FARCI AUX MARRONS

Pour 7 ou 8 personnes, un joli chou blanc bien pommé pesant après épluchage environ 1,5 kg, six oignons pesant ensemble environ 200 g, 500 g de bons marrons, 225 g de beurre au moins, 30 cl de très bon lait, soit environ un verre et demi, 15 g de sel, 4 g de poivre moulu. Temps nécessaire : deux bonnes heures pour préparer la farce, le chou, et 5 h de cuisson ensuite.

Les marrons : c'est par eux qu'il faut commencer, car c'est ce qu'il y a de plus long à cuire.

Choisissez-les toujours de très bonne qualité, c'est-à-dire bien bombés à peau tendue et brillante et d'une belle grosseur. On ne les laisse pas absolument entiers mais on évite aussi qu'ils s'écrasent en purée. Enlevez-en seulement la première écorce complètement. Mettez-les dans une casserole et couvrez-les d'eau froide pour qu'ils baignent complètement. Mettez un couvercle et faites bouillir pendant un quart d'heure à feu modéré. A ce degré de cuisson, la seconde peau s'enlève très aisément et le marron ne se brise pas. Enlevez donc la pellicule avec un petit

couteau et joignez les marrons aux oignons que vous avez préparés pendant ce temps-là.

Les oignons et la farce : épluchez les oignons et coupez-les en rondelles assez fines. Choisissez une casserole profonde en cuivre épais et de la dimension du chou. Calculez que le chou doit juste pouvoir y entrer mais qu'à la cuisson il va se tasser. Toutefois, il n'y aurait aucun inconvénient à préparer la farce d'oignons dans une autre casserole. Mettez dans la casserole les rondelles d'oignons et un morceau de beurre gros comme un bel œuf. Remuez sur un feu doux pour fondre et mélanger ensemble. Couvrez la casserole et laissez les oignons fondre doucement et se passer sans prendre couleur. Les oignons étant très affaissés, ajoutez-y les marrons très soigneusement épluchés de leur seconde peau. Ajoutez en même temps le reste du beurre dont vous retirez 50 g que vous mettez de côté pour vous en servir plus tard. Couvrez la casserole de nouveau et laissez mijoter à tout petit feu en remuant très souvent avec la cuiller de bois ; ce faisant, faites attention de ne pas écraser les marrons en bouillie. Ils doivent se détacher en morceaux mais ces morceaux doivent rester aussi intacts. Peu à peu le tout prend une teinte

dorée. Comptez sur une bonne demi-heure de mijotement pour que, toujours à feu très doux, les marrons se pénètrent du beurre et deviennent comme confits, couleur du marron glacé. Salez avec la moitié du sel indiqué ainsi que du poivre. Versez ensuite dans une assiette avec toute la graisse fournie par le beurre.

Le chou : coupez le trognon du chou au ras des feuilles. Enlevez les feuilles gâtées, déchirées et celles qui sont encore très vertes. Ayez une grande casserole ou plutôt une bassine remplie d'eau bouillante sur le feu. Plongez-y le chou, la partie de la queue au fond. Tout le chou doit être parfaitement baigné dans l'eau bouillante. Couvrez, faites reprendre vivement l'ébullition et faites bouillir jusqu'à ce que les feuilles ne se brisent plus quand on les manipule. Il faut bien une bonne demi-heure pour cela ; égouttez le chou, plongez-le à grande eau fraîche, pressez-le avec précaution entre les deux mains pour en extraire l'eau. Placez-le sur un grand torchon propre et dépliez les feuilles une à une en les rabattant tout autour bien étalées sur le linge et sans le détailler. Ceci jusqu'à ce que vous arriviez aux toutes dernières feuilles qu'on ne peut plus ouvrir. Sur ce petit bouquet de feuilles, placez alors un peu de farce. Ramenez dessus une feuille sur cette feuille ramenée, étalez une faible cuillerée de farce. Rabattez la feuille suivante et ainsi de suite en étalant tou-

Gâteau aux carottes. Ici dans la salle à manger, où Jean de La Varende avait ménagé un petit oratoire dans une des tours d'angles.

jours la cuillerée de farce bien au milieu de la tête du chou de façon à lui rendre sa première forme. Toutes les feuilles étant ramenées, entourez le chou d'une ficelle passée deux fois en croix et nouez les deux extrémités sur le dessus du chou en laissant des bouts assez longs pour pouvoir le soulever aisément ensuite dans sa casserole. Avec les doigts, étalez dans la casserole le beurre réservé en le tamponnant bien également. Placez-y le chou, le côté queue sur le fond de la casserole. Saupoudrez avec le reste du sel et poivre. Couvrez ; placez sur feu doux. A partir du temps où le mijotement s'est déclaré, le beurre étant fondu et chaud, comptez 5 h de cuisson. Découvrez de temps en temps pour prendre du liquide de cuisson avec une cuiller et en arroser le chou qu'on ne retourne pas. Toujours recouvrez ; veillez à ce que le chou n'attache pas en secouant doucement pour changer le chou de place. A moitié de cuisson, ajoutez le lait dont vous gardez quelques cuillerées pour allonger le jus un quart d'heure avant de servir. Continuez l'arrosage environ trois fois par heure. **Pour servir** : déficelez. Posez sur un plat rond bien chaud ; versez le jus autour et ayez bien soin d'y délayer d'abord le gratiné brun qui s'est formé sur les bords de la casserole pendant la cuisson. Cette recette est longue, mais pas plus que la préparation nécessaire. Maintenant, vous saurez faire le chou farci !

GATEAU AUX CAROTTES

500 g de sucre, 500 g d'amandes râpées finement, deux cuillerées à soupe de farine, 500 g de carottes cuites à l'eau et passées au tamis, quatre jaunes d'œufs, un petit verre de kirsch.
Mêlez le tout et tournez pendant une demi-heure puis incorporez les quatre blancs d'œufs battus en neige. Beurrez un moule et faites cuire le gâteau 45 min au four. Quand il est froid, glacez-le au sucre et au kirsch ou avec de la confiture saupoudrée d'amandes râpées.

LES REPUBLICAINS

500 g de farine, 375 g de beurre, 200 g de sucre, une pincée de sel, un peu de lait.
Quand votre pâte est faite, étendez-la avec le rouleau. Coupez vos gâteaux à volonté et saupoudrez-les de sucre. Mettez à cuire dans un four très chaud pendant 10 min environ.

LES ARISTO-CRATES

125 g de beurre, 125 g de sucre, 250 g de farine, un peu de vanille pilée, un œuf entier. Vous faites une pâte de tout ; vous l'étendez bien mince. Vous la coupez en petits bâtons. Parez avec un mélange de blanc d'œuf et de sucre glace battu jusqu'à consistance d'une

De ce petit livre introuvable, sont extraits la plupart des commentaires cités ici.

Le quatre-quarts à l'orange, sur un coffre de mariage. Service au chiffre La Varende.

fondu tiède, les raisins épluchés et le citron. Beurrer et fariner de petits moules. Mettre une cuillerée à soupe d'appareil dans chaque moule, cuire à four modéré pendant 20 min.

MARQUIS

Préparez dans une soupière ou saladier : six tablettes de chocolat râpé, 300 g de beurre frais, faites bouillir deux verres de lait, 200 g de sucre en poudre, une demi-gousse de vanille ; une fois bouilli versez le mélange sur six jaunes d'œufs petit à petit et pas sur le feu ; quand le mélange est fait, mettez sur le feu en tournant et sans faire bouillir jusqu'à ce que le mélange devienne un peu épais. Versez dessus en mélangeant petit à petit avec une cuiller le mélange indiqué plus haut et versez le tout dans un moule bien garni de biscuits à la cuiller.
Les biscuits doivent être mis debout tout autour du moule. Recouvrez de crème de biscuits, couvrez le moule en appuyant et laissez au frais jusqu'au lendemain.

pâte lisse, qu'on appelle une glace royale. Faites cuire au four sur une plaque. Surveillez la cuisson, pas plus de 15 min en général.

TOT-FAIT

125 g de farine,
125 g de sucre,
125 g de beurre,
deux ou trois œufs,
un citron râpé,
75 g de raisins de Corinthe.
Battre un instant le sucre et les œufs dans la terrine, y mêler la farine et le beurre

QUATRE-QUARTS A L'ORANGE

Mettez dans une terrine 125 g de sucre en poudre et deux œufs entiers et un peu de zeste d'orange ou de citron râpé ou haché très fin. Travaillez pendant 5 min jusqu'à ce que vous obteniez une crème blanchâtre formant des bulles, puis mélangez 125 g de farine tamisée et bien sèche, travaillez le tout pendant 5 min. Ajoutez 125 g de beurre fondu ; opérez le mélange ; versez dans un moule plat bien beurré. Poussez au four doux. Trente minutes suffisent pour la cuisson. Démoulez et laissez refroidir.

GATEAUX SAINT-PIERRE

400 g de farine, 300 g de sucre, 300 g de beurre, une bonne pincée de sel, deux jaunes d'œufs. Faire la pâte épaisse d'un doigt et couper en losanges rayés avec un couteau, dorer avec du jaune d'œuf et un peu d'eau, 10 min de cuisson à four doux.

UN REVE

Six œufs dont on bat les blancs en neige, 125 g de macarons secs pilés. Un peu de sucre en poudre. Mêlez le tout en réservant les jaunes d'œufs. Versez dans un moule glacé au caramel. Cuisez 1 h au bain-marie. Servez avec une sauce à la vanille faite avec les jaunes d'œufs, c'est-à-dire une crème anglaise.

CONFITURE DE PRUNES D'AVOINE

Pour un panier de prunes, 2 kg de sucre cristallisé et quatre verres d'eau. Mettre dans le fond du chaudron un plat percé retourné, l'eau, les prunes et le sucre par couches ; cuire 10 h.

Il est essentiel d'avoir de vraies prunes d'avoine (et c'est d'ailleurs la principale difficulté de cette recette !). Cette confiture se fait en septembre.

morceau de beurre manié d'une même quantité de farine et en mouillant avec du lait. Quand cette sauce sera lisse et épaisse, ajoutez-y 50 gr. de gruyère râpé et les crevettes épluchées. Ajoutez un peu de cette sauce dans chaque tomate par-dessus la farce, puis disposez les tomates dans un plat allant au four et versez par-dessus cette sauce un peu de chapelure mélangée de fromage râpé et disposez par-dessus des petits morceaux de beurre. Faites gratiner au four.

Pour servir les restes de viande.

Faire un hachis mélangé de riz, bien assaisonné et poivré. Mettez au fond d'un plat creux qui va au four. Couvrir le hachis d'une couche de feuilles de choux précé-

demment blanchies ; arroser les choux de sauce tomate, cuire au four et servir dans le plat même.

Côtelettes de veau ou volaille à la Casimir.

Faites revenir vos côtelettes dans un peu d'huile d'olive, les colorer et retirer de l'huile. Mettre du Madère dans la casserole avec un peu de beurre et de jus. Couvrez vos côtelettes de mie de pain et de persil haché avec champignons frais. Mettez les côtelettes dans la casserole et laissez mijoter une heure à feu doux sans y toucher. On fait de même pour des volailles.

Chou-fleur polonaise.

Cuire à l'eau salée un beau chou-fleur que l'on conserve bien chaud. Prendre du beurre frais, le

FILIÈRES

Sur la route des épices

Voici la pièce la plus saisissante de Filières : le salon chinois.
Ces peintures sur papier furent importées d'Extrême-Orient
il y a deux siècles. Depuis ces branches de thé africaines jusqu'aux
services de toutes origines, tout y est invitation au voyage.
Comme les armes de Persan : « d'azur à trois demoiselles
(qui sont des papillons) volant en bande ».

Le paysage des falaises du pays de Caux est l'un des plus saisissants qui soient : elles tombent du haut plateau de craie dans la mer qui les grignote sans relâche, dans la Côte d'Albâtre. L'eau en est rendue verte, comme laiteuse. Parfois elle épargne des arches plus résistantes, ou des piliers comme l'Aiguille où Maurice Leblanc fit découvrir par Arsène Lupin... rien moins que le trésor secret des rois de France. Mais on nous dit que l'aiguille n'est pas creuse, et que tout cela n'est que fiction. Dommage...

Le château de Filières est voué aux épices qui, avec l'ivoire, firent la fortune des ports de Dieppe et de Fécamp. On y débarquait, venus des comptoirs de l'Inde ou de l'Afrique, le chugre, le chitonac, la malaguette (la graine de paradis, venue de Guinée) que nous avons oubliés, mais aussi le gingembre, le safran, la muscade ou la myrrhe, et le poivre échangé contre de l'or. De quoi réchauffer les ardeurs normandes au long de l'hiver venteux du plateau de Caux. De quoi aussi faire la fortune des armateurs, car les épices étaient des présents de rois, monnaies d'échange, tributs de guerre parfois. Et les ports retentissaient des échos des guerres lointaines entre les Portugais et les Hollandais en Inde, ou à Ceylan, pour acquérir le monopole des épices. On débarquait aussi dans ces ports des soieries, porcelaines précieuses, or et argent que l'on peut aujourd'hui

Filières est autant rural que précieux. Rural par sa situation et la destination de ses bâtiments. Précieux par l'aménagement de ses salons et ses collections d'outre-mer.
Devant la porte du château vieux, Marie-Louise, marquise de Persan, Bleuzen du Pontavice et Blanche de Persan, à l'heure du thé. Tandis qu'une à une le marquis de Persan refait les fenêtres des belles chambres de l'étage.

admirer à Filières. Quant aux épices, on en retrouve dans plusieurs des recettes de la famille Doudet de Persan, ainsi que le thé, qui s'y boit et s'y mange sous toutes les formes.

Il y eut à Filières une forteresse dont, par temps sec, on devine les traces au milieu de la cour. Puis un château Henri IV qu'Alexandre-Charles de Catteville, marquis de Mirville, tenant le domaine de sa famille, décida de remplacer par un majestueux château classique dont les plans sont attribués à Victor Louis. Les travaux débutèrent en 1785, mais l'avisé marquis, d'une prudence bien normande, ne fit détruire le château vieux que progressivement. Et la substitution cessa à la Révolution, donnant à Filières un caractère composite qu'il a gardé depuis, enchâssé dans ses douves sèches et dans un grand clos-masure. La masure en pays de Caux n'a rien de triste : c'est un vaste enclos de hêtres où s'abrite du vent l'ensemble des bâtiments et des vergers. Ici, un colombier qui est habitable et habité, les grandes écuries, dépendances et jardins... Quant aux hêtres, engraissés par la riche craie du plateau et abreuvés par la nappe phréatique inépuisable, ils forment des fûts larges, longs et droits comme les mâts des plus beaux navires du temps passé.

Le château de Filières s'est toujours transmis par héritage. Après les Hocquart de Turtot, c'est maintenant la famille de Persan qui l'occupe et l'entretient. Bonguy, marquis de Persan (dont la famille fut proche de Charles le Mauvais, roi de Navarre et comte d'Evreux), qui porte un prénom traditionnel de sa famille, est son premier artisan : il y a toujours du travail dans un château. Son épouse a fait carrière chez Dior, et ses chapeaux sont célèbres. Elle soigne l'enfilade des salons qui sont autant de portes ouvertes sur des horizons lointains ; les samovars s'y mêlent aux *vedute* italiennes, les services à thé de toutes origines voisinent avec des « Imari », chaque objet rappelant une page des voyages lointains des marins normands.

Voici deux splendides « Imari », fontaines à thé de taille imposante, rapportées du Japon au XVIIIe siècle.

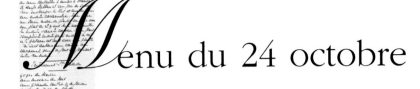

Menu du 24 octobre

Bouillon
Saumon fumé
Fromage de Lille
Les délices de Filières

BOUILLON

Prenez un petit morceau de paleron dans le bœuf et une moitié de poule que vous hachez grossièrement. Mettez ces viandes dans un faitout avec un poireau émincé, une carotte en rouelles, une branche de céleri, un oignon émincé. Mouillez avec 3 l d'eau. Amenez à ébullition en remuant de temps en temps.

Puis mettez à feu doux pendant 30 min et ajoutez quelques clous de girofle, du persil, du gros sel et du poivre.

Passez ensuite le bouillon au tamis, dégraissez et ajoutez quelques traits de caramel pour lui donner couleur.

LES DELICES DE FILIERES

Préparez un thé (à Filières, chaque heure, chaque usage a son thé, celui-ci s'appelle le n° 243). Dénoyautez des pruneaux. Mettez-les dans le thé à petit frémissement, ajoutez des écorces d'orange, de citron, de la cannelle, du gingembre… Laissez macérer au frais. Ce dessert, vous le servirez dans un joli compotier et vous dégusterez en même temps une glace à la vanille ou au Grand Marnier.

LE FROMAGE BLANC AUX EPICES

Mélangez à du fromage blanc à 0 % de matière grasse sa moitié en poids de yaourt également allégé.

Dans deux cuillerées à soupe de lait écrémé chaud, faites infuser une pincée de stigmates de safran ; tamisez le lait et incorporez-le au mélange de fromage et de yaourt. Ajoutez une pincée de noix de muscade, une pincée de

Les délices de Filières.

cardamone et deux de cannelle. Le sucre n'est pas nécessaire, les épices s'y substituant pleinement.

LA MOUSSE AU CHOCOLAT

La veille de faire ce dessert, faites mariner 250 g de raisins secs dans du cognac ou autre alcool. Prenez deux plaques de chocolat amer, cassées en morceaux, fondues dans une cuillerée d'eau froide au bain-marie.
Hors du feu, ajoutez 50 g de beurre et quatre cuillerées de crème froide et quatre jaunes d'œufs. Montez les blancs en neige ferme. Mélangez-les à la spatule. Rajoutez les raisins secs bien égouttés et une cuillerée à café d'essence de café.

GATEAU DE LA REINE

Trois grosses barres de chocolat, 125 g de beurre, 125 g de sucre en poudre, 60 g de sucre vanillé, trois œufs, 50 g d'amandes en poudre, et deux cuillerées à soupe de farine.
Faites fondre le beurre, ajoutez le

Service aux armes Hocquart de Turtot. Couverts Persan.
Les trumeaux sont ornés de médaillons à l'antique dans le style du XVIIIe siècle. Des appliques en vieux Rouen, des vases de Canton, un samovar, une étuve pour cuire les œufs à la coque... l'histoire et l'exotisme se mêlent dans l'irréelle salle à manger de Filières.

chocolat, laissez-le fondre douce-ment, ajoutez-y le sucre en poudre et le sucre vanillé, les amandes pilées. Quand tout est bien fondu, mélangez au choco-lat, la farine et les jaunes d'œufs sur le côté du feu.

Beurrez un moule, mélangez les blancs en neige à la pâte. Versez le tout dans le moule et faites cuire dans un bon four pendant 40 min. Ce gâteau se sert avec de la crème anglaise.

SCONES

Seize cuillerées à soupe de fari-ne, une cuillerée à café de sel, une cuillerée à soupe de levure. Mélangez le tout, ajoutez une cuillerée à soupe de beurre, défaites-le avec les doigts, puis rajoutez la quantité de lait néces-saire pour que la pâte soit bien molle (une tasse de lait environ), travaillez la pâte aussi peu que

Le boudin de Saint-Rémy-de-Colbosc.

possible pour faire le mélange qui n'a pas besoin d'être uni ; étendez la pâte avec la main sur une planche d'une épaisseur de 1 cm, découpez-la avec un coquetier, saupoudrez de farine la feuille de tôle et faites cuire vivement 15 à 20 min. Il faut les laisser très peu se colorer et ne pas les retourner.

Coupez-les en deux dans leur épaisseur, beurrez, refermez-les et servez chaud.

LE BOUDIN DE SAINT-REMY-DE-COLBOSC

C'est une commune voisine de Filières. Cette vieille spécialité locale contient de la crème fer-mière et du calvados dans du boyau de porc, au centre un morceau de lard gras.

Il faut piquer les boudins avant de les cuire. Passez au pinceau

un peu d'huile sur eux. Placez-les dans un plat à four. Disposez des pommes, une par boudin. Enlevez le cœur à l'aide d'un vide-pomme, mettez-y une petite noix de beurre et un peu de cannelle. Laissez cuire à four chaud. Surveillez. Et préparez une bonne purée de pommes de terre.

BISCUITS AU THE

Pour 250 g de farine, prenez 125 g de beurre doux, 80 g de sucre roux, un peu d'eau. Faites infuser une cuillerée à café de thé brisé dans très peu d'eau ; passez-le et réservez l'eau infusée ; incorporez ces brisures mouillées dans la farine que vous mélangez aux autres ingrédients avec l'eau de l'infusion. Attention, n'en mettez pas trop sinon la pâte sera trop détrempée… Laissez reposer la pâte une demi-heure. Beurrez une tôle de four. Préchauffez votre four à 200 °C.

Etendez votre pâte très finement. Avec un emporte-pièce, découpez des petits biscuits, déposez-les sur la plaque. Enfournez une dizaine de minutes. Surveillez.

Les scones, devant un rare service à thé en argent.

Miromesnil

Dans un jardin nourricier

La cuisine privée du château de Miromesnil, toute de vert vêtue. Le plafond est voûté de briques. Autour d'une belle Cornue, elle s'organise en plans de travail. Derrière, le fruitier recueille les pommes et les poires du verger.

Au cœur de ses bois et de ses hêtres « qui bataillent toute l'année contre le vent de mer », selon le mot de Maupassant, le château de Miromesnil est entouré de verdure, jusqu'au tennis qui est de gazon. Les murs sont palissés de clématites de toutes variétés. Et les arbres de son potager font pendant aux guirlandes de fruits de la précieuse façade Louis XIII. C'est un jardin aussi décoratif qu'utilitaire : ses fleurs décorent les salons du château, ses légumes en ornent la table, et ses fruits parfument l'arrière-cuisine.

Miromesnil, fief relevant des ducs de Normandie, puis de la couronne de France, fut érigé en marquisat en 1697, en faveur de Thomas Hue, chevalier et conseiller du roi. Le terrier, registre des terres affermées, témoigne de l'importance d'un domaine qui comprenait dix fiefs nobles.

Un premier château fort fut détruit en 1589 lors de la bataille d'Arques, qu'on appelle depuis Arques-la-Bataille, et qui vit la victoire sur le duc de Mayenne de Henri IV, le Vert-Galant, à la conquête de son trône. Un incendie ravagea tous les abords du château. Les Dyel de Miromesnil le remplacèrent par une belle construction en briques de Varengeville et pierres de Caen que l'on admire encore. La façade sur cour est du style Louis XIII, mais un Louis XIII monumental : les parois de briques sont envahies de décors à pilastres et mascarons surmontés par des urnes placées à la base de la

Moins exubérante que la façade nord, celle du sud est de pur style Henri IV. La brique de Varengeville y épouse la pierre de Caen, au bout d'une perspective de verdure et de grands arbres.

couverture mis en valeur par deux ailes du XIX⁰ siècle. Elle apparaît au bout d'une allée encadrée de hêtres bicentenaires, hauts de plus de 40 m.

Miromesnil ne fut pas inquiété pendant la Révolution : Armand Thomas Hue de Miromesnil, ministre de la Justice de Louis XVI, avait rédigé en 1780 un acte royal supprimant la « question », torture infligée aux condamnés pour parfaire leurs aveux, ce qui lui valut d'être protégé par la population. Il fut cependant brièvement arrêté en 1794, puis libéré. Le château passa à la famille de Corday d'Aubigny, puis à celle de Marescot. Au cours du XIXe siècle, deux ailes en rez-de-chaussée qui encadraient cette façade furent surélevées. Celle de gauche, incendiée à la fin de la Seconde Guerre mondiale, a été rabaissée par les Monuments historiques. Cette légère asymétrie n'est pas sans charme.

Par deux ventes au cours du XIXe siècle, il est arrivé dans la famille de Vogüé, de très vieille noblesse du Vivarais, et est aujourd'hui habité par le comte et la comtesse Thierry de Vogüé.

La maisonnée est gourmande, comme on le verra dans le repas que nous avons dégusté. Elle se nourrit de son potager et de son élevage de moutons. Miromesnil est un domaine préservé et paisible, qui n'a pas trop changé depuis le XVIIIe siècle comme en témoigne un vieux plan cadastral. Les recettes de la famille sont d'un raffinement discret : c'est ça, la cuisine de château !

Le potager clos de madame de Vogüé était célèbre. Thierry de Vogüé continue à l'entretenir, pour l'approvisionnement de sa maison et pour le plaisir des visiteurs. A l'automne, le jardin de Miromesnil est au repos. Mais pas les jardiniers : il y a toujours du travail pour offrir un printemps gai et un été éclatant.

Menu du 4 novembre

Sablés au cheddar
Galettes de Miromesnil
Pie de poulet
La conversation
Romanée Saint-Vivant 1953

Les petits sablés au cheddar peuvent être découpés de toutes les formes amusantes. Les galettes de Miromesnil sont comme de petits soufflés qui se gonfleront à la seconde cuisson.

SABLES AU CHEDDAR OU A LA MIMOLETTE

Pour l'apéritif, ils se conservent très longtemps dans une boîte en fer.

200 g de farine de froment, 80 g de beurre, 100 g de cheddar ou de mimolette demi-étuvée. Paprika, sel et poivre.

Râpez le fromage sur une grille moyenne. Faites ramollir le beurre. Mélangez tous les ingrédients pour obtenir une pâte que l'on étale et que l'on découpe à l'emporte-pièce, selon les goûts. Disposez-les sur une plaque beurrée. Faites cuire dans un four préchauffé à température moyenne.

GALETTE DE MIROMESNIL

Pour 8 personnes
Faites une béchamel avec 30 g de beurre, 60 g de farine, 50 cl de lait, quatre jaunes d'œufs, 500 g de crème et 500 g de parmesan. Quand cette béchamel est bien homogène, laissez refroidir. Battez les blancs en neige. Rajoutez-les à la béchamel. Beurrez seize petits moules (voir photos) cylindriques et versez-y la préparation.
Faites-les cuire à four moyen

Le pie de poulet.

(préalablement chauffé) au bain-marie. Retirez-les quand ils sont bien gonflés ; ne dépassez pas 25 min de cuisson. Beurrez un plat à gratin. Démoulez-y les galettes, couvrez-les d'un peu de crème liquide assaisonnée à la noix de muscade.

Au moment de servir, passez les galettes à four moyen pour qu'elles soient chaudes et gonflées.

PIE DE POULET

Il faut un bon poulet de ferme, huit tranches de bacon anglais, 400 g de coulemelles, cinq écha-lotes, persil, thym, sel et poivre. Une pâte feuilletée : 300 g de farine, 150 g de beurre, sel, poivre et un verre de cham-pagne. Découper le poulet. Faire revenir tous les morceaux dans une sauteuse avec très peu de beurre jusqu'à ce qu'ils soient dorés. Les égoutter sur du papier absorbant. Beurrer un plat à manqué allant au four, y déposer les tranches de bacon sur le fond et les côtés ainsi que le poulet reconstitué. Ajouter les coule-melles nettoyées et crues, les échalotes hachées, le persil, le thym. Y ajouter le verre de champagne.

Recouvrer le tout de la pâte feuilletée en mouillant les bords du plat avant d'y appliquer les extré-mités de la pâte. Badigeonner le des-sus avec du jaune d'œuf.

La salle à manger. Les boiseries Louis XVI, rapportées en 1860, sont ornées de pélicans et de poissons à symbolique religieuse. L'argenterie est aux armes d'Albert de Mun, arrière-grand-père de Thierry de Vogüé et homme politique à l'origine du catholicisme social.

Une sorbetière… en cœur.

Décorer avec des traits tracés au couteau. Faire cuire à four moyen environ 30 min pour que la pâte soit bien dorée.

LA CONVERSATION

300 g de pâte feuilletée, une crème pâtissière vanillée composée de : 50 cl de lait, six jaunes d'œufs, 50 g de farine, 80 g de sucre en poudre, 125 g d'amandes en poudre.
Préparez le fond de tarte avec la moitié de la pâte feuilletée, versez le mélange crème pâtissière et amandes. Recouvrez de l'autre

moitié de pâte feuilletée très plate. Etalez dessus le sucre royal composé d'un demi-blanc d'œuf dans lequel vous avez inséré du sucre glace fouetté pour obtenir une consistance épaisse. Décorez de quatre lamelles de pâte feuilletée en forme de losanges également badigeonnés de sucre royal. Remettez au four. Laissez cuire 30 min à four chaud. La conversation se mange froide. Cette pâtisserie serait née à la fin du XVIIIe siècle, on dit que qu'elle tire son nom du titre d'un ouvrage de madame d'Epinay qui s'intitulait *Les Conversations d'Emilie*.

RAMEQUINS AU FROMAGE ou LES CHOUX AU FROMAGE

Préparez une pâte à choux pour 6 personnes : mettez dans une casserole et sur le feu 50 cl d'eau, 125 g de beurre et une pincée de sel fin. Dès que le beurre est fondu, versez en une seule fois 250 g de farine tamisée et remuez à la cuiller en bois ; restez sur le feu et faites dessécher la pâte en remuant jusqu'à ce qu'elle se détache de la casserole. Retirez du feu et ajoutez alors un premier œuf, en remuant bien. Quand il est absorbé, ajoutez un deuxième et faites ainsi jusqu'au huitième œuf. Faites cuire à four moyen douze choux de forme ovale posés sur une plaque à pâtisserie et obtenus à l'aide d'une douille. Laissez refroidir.

Faites une demi-entaille dans chaque chou et introduisez-y un appareil, qui se prépare ainsi : faites un roux blanc avec 140 g de beurre et 140 g de farine. Ajoutez 1 l de lait tiède et remuez jusqu'à ce que ça épaississe, versez alors 500 g de parmesan ; remuez, remplissez-en les choux ; posez le chapeau sur chaque chou et repassez-les au four avant de servir.

Réchauffez les choux au moment de servir

LA MOZZARELLA IN CARROZZA

(recette de madame de Vogüé qui a des ascendances italiennes)
Se fait comme du pain perdu.
Il faut deux tranches de pain de mie de rassis, trempées dans du lait et passées dans la farine, entre lesquelles on place une tranche de mozzarella, on soude les bords avec du jaune d'œuf. Dans une poêle on fait chauffer de l'huile d'olive, quand c'est brûlant on fait dorer de chaque côté. Puis on les dépose sur du papier absorbant. On poivre beaucoup et on y place une croix d'anchois.

TAJINE

Prenez 1 kg de mouton (qui a plus de goût que l'agneau).
Faites revenir trois oignons (hachés dans l'huile d'olive) dans le tajine à feu très doux avec le mouton coupé en morceaux.
Ajoutez le poivre, le sel, du gingembre, du safran (une pincée si c'est du vrai).
Mouillez avec quelques verres d'eau et ajoutez des légumes variés (carottes, navets, courgettes…) et une cuillerée à café de concentré de tomate pour colorer. Mettez le couvercle, laissez à feu doux environ 1 h. Un quart d'heure avant la fin, incorporez des pommes de terre coupées en quartiers et des olives vertes blanchies au préalable.

LA GLACE DE VIANDE

Faites dorer avec des oignons, des os de bœuf et de veau (jamais de mouton) et faites revenir à l'huile 1 kg de jarret de bœuf. Ajoutez quelques oignons, carottes, bouquet garni et un morceau de couenne. Couvrez d'eau, salez, poivrez et « quatre-épicez ».
Maintenez une ébullition très légère sur le coin du fourneau pendant trois jours et trois nuits sans interruption. Ajoutez des os et restes de poulet s'il y en a mais jamais de canard et de mouton ; écumez quand c'est

Le cabinet de travail renferme de nombreux ouvrages reliés aux armes des Hue de Miromesnil, à trois hures de sanglier, ici surmontées du mortier du chancelier.

apercevait encore dans le panier d'autres bonnes
choses enveloppées, des pâtés, des fruits, des
friandises, les provisions préparées pour un voyage

de trois jours afin de ne point toucher à la cuisine
des auberges. Quatre goulots de bouteilles pas-
saient entre les paquets de nourriture. Elle prit
une aile de poulet et, délicatement, se mit à la
manger avec un de ces petits pains qu'on appelle
« Régence » en Normandie.

*Le 5 août 1850, alors que le château était loué à la famille de Maupassant,
naquit à Miromesnil l'écrivain qui resterait à la postérité comme le meilleur
conteur des passions normandes : Guy de Maupassant. S'il n'y vécut pas
longtemps, il traita souvent du pays de Caux. La nouvelle « Boule de suif »,
qui fustige avec réalisme la médiocrité des hommes, et des femmes, se situe à
Tôtes, pas très loin de Miromesnil. L'édition originale est présentée dans le hall
du château avec d'autres souvenirs du grand écrivain. Maupassant ne vécut
pas longtemps à Miromesnil, mais on retrouve dans ses contes
l'ambiance du pays de Caux, ses grandes « cours » abritant des paysans
madrés, et ses longs hivers venteux.
La vie de Maupassant est une peau de chagrin : dix ans d'écriture
prolifique, puis la maladie, la folie et la mort. Son écriture est limpide…
comme l'eau qui dort.*

nécessaire. Complétez d'eau de temps en temps sauf le dernier jour puis laissez réduire. Enlevez les os et passez au chinois. Laissez réduire à petit feu jusqu'à obtenir un jus foncé très épais qui formera presque une pâte, une fois refroidi. Mettez au réfrigérateur.

Cette glace de viande devenue rare s'utilise de façon homéopathique pour faire d'excellents fonds de sauce dignes des grandes recettes d'une époque révolue. Malheureusement, la lyophilisation a remplacé ce substrat culinaire…

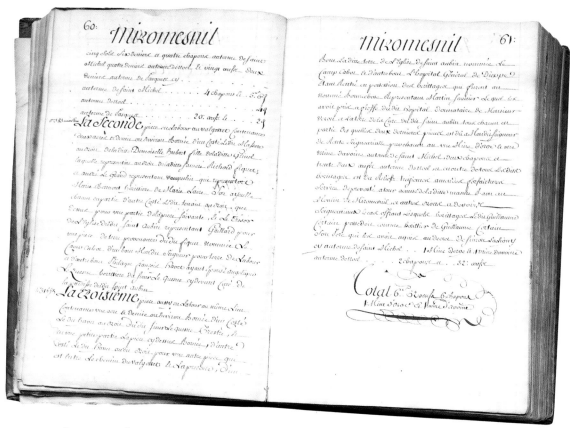

Extrait du Terrier de Miromesnil

« Louis Gilles, bourgeois de Dieppe, tient les héritages et pièces de terre en la paroisse de Saint-Aubin-sur-Scie cy après désignées :

— *la première pièce en masure édifiée de maison et autres bâtiments close est plantée (…), de laquelle masure est due à mondit seigneur de rente seigneuriale de par chacun an 5 sols 6 deniers et 4 chapons en terme de Saint-Michel, 4 deniers en terme de Noël et 20 œufs 2 deniers en terme de Pâques ;*
— *la seconde pièce en labours (…), la troisième pièce en labours…*
— *le total de la redevance se monte à une mine d'orge, une mine d'avoine, 52 œufs, 6 chapons.* »

Note : le clos-masure est, en pays de Caux, une entité fermière, popularisée par les romans de Maupassant. Entourés d'arbres, souvent sur plusieurs rangées, les bâtiments de ferme forment un camp retranché que le « horsain », l'étranger, ne pénétrait que rarement.

Le comte et la comtesse Thierry de Vogüé collectionnent ces petits sujets de table. Ceux-ci sont de Berlin, du XIXe siècle. Mais leur origine est plus ancienne : d'abord en sucre, puis en porcelaine de Saxe, on les disposait devant chaque invité, qui les emmenait en souvenir.

CARTE ROUTIÈRE

DE

NORMANDIE.

Hague

Hague Dike
Digue I. Pelée
Beaumont
CHERBOURG
St Pierre Eglise
Cap la Hougue
Barfleur

Fécamp

C. d'Antifer Etretat

20 19
les Pieux
Briquebec
 15 17
Montebourg
les S. Marcouf
Naast
Tatihou
la Hougue

Epouville
Montvilliers
C. la Heve
LE HAVRE
Harfleur
Seine
Tancarville

Port Bail
la Haye
du Puits
10
Lessay
18
Periers
S. Sauveur
le Vicomte
S. Mere Eglise
13
Carentan
11
Isigny
Formigny
Aure 16
Port en Bessin
Rochers du Calvados

BAYEUX
Seulles
16
Bretteville
N.D. de
Delivrande

Honfleur
Trouville
Touques
16
Pt. L'EVEQUE
Dives
18
Dozulé

Benzeville
23

S. Jean
de Daye
S. Clair
Vaubadon
Juvigny
CAEN
12
Woarn
14

Estrees
LISIEUX
l'Hotel

16
Hauteville
la Guichard
12
S. LÔ
13
14
Taumont
12
Fondrainville
Villers Bocage
Langannerie
26
S. Pierre
16
Livarot
19
22

COUTANCES
16
Marigny
Torigny

22

Monnai

19
Hambie
Gaurdy
Brehal
Percy
Tessy
Farcy
25
Mesnil
au Zouf
20
Harcourt
20
FALAISE
Vimoutier
10
22

Granville

Villedieu
29
S. Sever
VIRE
13
16
25
17
Condé
sur Noreau
13
18
Guibray
P. d'Ouilly
Trun
22
Gacé

Cancale
Sartilly
22
26
AVRANCHES
Sée
Sourdeval
Tinchebray
14
Flers
18
Brionze
18
ARGENTAN
Exmes
22
Nonant
12

Tombelene
M. S. Michel
la Chap Grée
Ducey
MORTAIN
Lonlay
21
la Ferté
Macé
Ranes
Ecouche
le Pin
23
Mortrée
Carouges
19
Seez

Dol
19
22
18
S. Hilaire
15
le Teilleul
DOMFRONT
19
Bagnoles
18
S. Denis
Mesnil
Broust
le Mesle
sur Sarthe

Pontorson
12
S. James
Louvigné
20
Passais
22
Prez
en Pail
13
18
ALENÇON
25

Antrain
22
Ambrières
Sarthe
14

S. Brice
16
FOUGÈRES
18
le Ribay
MAMERS

Ernée
MAYENNE
Bais
Fresnay
Beaumont
15

Martigné
Evron
Sillé le Guillaume

Guide pratique

**1. Château de Crosville.
50360 Crosville-sur-Douve.**

Classé MH. Adhérent VMF et DH.
Visites tous les après-midi de Pâques
à fin septembre.
Expositions thématiques, spectacles.
Soirées repas normandes.
Propriétaires : M. et Mme Lefol.
Téléphone : 02.33.41.67.25.
Télécopie : 02.33.41.67.25.

2. Manoir de Saussey. 50200 Saussey.

Visites de Pâques à fin septembre,
toute l'année pour les groupes.
Extérieur et musée de verres anciens, de crèches,
musée de crèches XVIIᵉ-XVIIIᵉ.
Propriétaire : M. Langelier.
Téléphone : 02.33.45.19.65.

**3. Château de Colombières.
14710 Colombières.**

Classé MH. Adhérent VMF et DH.
Visites en juillet et août (sauf mardi),
et week-ends de septembre.
Visites pour groupes de mai à octobre
sur rendez-vous.
Festival de lumières (renseignements aux offices
de tourisme de Bayeux et Isigny).
Chambres d'hôte, membre de
« Châteaux Accueil » et « Bienvenue au château ».
Propriétaires : M. et Mme de Maupeou d'Ableiges.
Téléphone : 02.31.22.51.65.
Télécopie : 02.31.92.24.92.

**4. Château de Fontaine-
Henry. 14160 Thaon.**

*Classé MH. Adhérent VMF
et DH.*
Visites tous les jours (sauf mardi) du 16 juin
au 15 septembre. Week-ends de Pâques à
Toussaint. Toute l'année pour groupes
sur rendez-vous.
Expositions d'art et d'artisanat. « Château-flore »
de Fontaine-Henry début octobre.
Propriétaires : M. et Mme d'Oillamson.
Téléphone : 02.31.80.00.42.

5. Château de Vendeuvre. 14170 Vendeuvre.

Classé MH.
Visites de mars à octobre les dimanches ; de mai à
septembre tous les jours. Vacances de Pâques
et Toussaint tous les jours.
Château, parc et jardins d'eau « surprises ».
Musée du mobilier miniature.
Salon de thé juillet et août,
restaurant pour groupes.
Propriétaires : M. et Mme de Vendeuvre.
Téléphone : 02.31.40.93.83.
Télécopie : 02.31.40.11.11.

6. Château d'O. 61570 Mortrée.

Classé MH. Adhérent VMF et DH.
Visites l'après-midi toute l'année,
sauf mardi.
De 10 h à 18 h en juillet et août.
Concerts et expositions.
Location de salles pour réceptions.
Propriétaire : M. Didier de
Lacretelle.
Conservateur : M. Patrick Huguin.
Téléphone : 02.33.35.34.69.

7. Château de Fontaine-Etoupefour.
14790 Fontaine-Etoupefour.

Classé MH. Adhérent VMF et DH.
Visites (extérieur) dimanche,
lundi et mardi de juillet à septembre.
Visites intérieur sur demande.
Exposition sur la bataille de la cote 112.
Propriétaire : M. du Laz.
Téléphone : 02.31.26.73.20.

8. Manoir du Champ-Versant.
14340 Bonnebosq.

Visites de Pâques à fin septembre
(sauf lundi et mardi).
Propriétaires : M. et Mme Letrésor.
Téléphone : 02.31.65.11.07.
Télécopie : 02.31.65.11.07.

9. Château de Sassy.
61570 Saint-Christophe-le-Jajolet.

Classé MH. Adhérent VMF et DH.
Visites des Rameaux à la Toussaint.
Propriétaires : M. et Mme d'Audiffret-Pasquier.
Téléphone : 02.33.35.32.66. - 02.33.35.36.90.

10. Château d'Anet.
28260 Anet

Classé MH. Adhérent VMF et DH.
Visites tous les jours sauf mardi
d'avril à octobre, week-ends de
novembre à mars.
Propriétaires : M. et Mme
de Yturbe.
Téléphone : 02.37.41.90.07.

11. Château de Cany.
76450 Cany-Barville.

Classé MH. Adhérent DH.
Visites en juillet et août.

Propriétaires : M. et Mme de Dreux-Brézé.
Téléphone : 02.35.97.70.32.

12. Château de Bonneville.
27270 Le Chamblac.

*Inscrit ISMH. Adhérent VMF
et DH.*
Visites sur demande.
Propriétaire : Madame
E. de La Varende.
Téléphone : 02.32.44.63.56.

13. Château de Filières.
76430 Gommerville.

Inscrit ISMH. Adhérent DH.
Visites de Pâques à la Toussaint.
Propriétaires : M. et Mme de Persan.
Téléphone : 02.35.20.53.30.

14. Château de Miromesnil.
76550 Tourville-sur-Arques.

Classé ISMH. Adhérent VMF et DH.
Visites l'après-midi (sauf mardi) du 1er mai
au 15 octobre. Château et jardins.
Propriétaires : M. et Mme de Vogüé.
Téléphone : 02.35.85.02.80.
Télécopie : 02.35.85.02.80.

ABREVIATIONS
MH : Monument Historique
ISMH : Inventaire Supplémentaire des Monuments
Historiques
VMF : Vieilles Maisons Françaises
DH : Demeure Historique

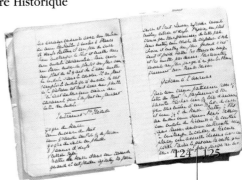

Index alphabétique des recettes

Conception graphique : Brigitte Racine
CTP Mame Imprimeurs
Cet ouvrage à été imprimé par Mame Imprimeurs à Tours (37).
I.S.B.N. : 2.7373.2174.3 - Dépôt légal : Avril 1998.
N° éditeur : 3561.01.07.04.98
© 1998 - Édilarge S. A. - Édition Ouest-France - Rennes.